なんかいやな感じ

武田砂鉄

講談社

まえがき

人間は自分で生まれる時期を選んでこの世に登場するわけではないので、ふーん、今はこういう感じなのか、と世の中の空気を嗅ぎ取りながら、なんとか対応して生きていくしかない。その感じに付き合ったり抗ったり逃げ回ったりする日々だ。

今、この社会がめちゃくちゃいい感じにまわっているとは思えない。かといって、ああもうダメだ、と絶望して身動きを止めているわけではない。だって、自分の生活をまわすためには、あれこれやらなければいけないことがある。でも、どこかで、社会の体幹というのか、軸になるものが見えにくくなっているな、という戸惑いや焦りが続いている。時折、「失われた30年」といったフレーズを見かけると、で、何がどのように失われたのだろう、と投げかけたくなるが、その主語の部分は人それぞれ。主語はバラバラなのに、失われた実感については共有している。なかなか不思議だ。

本編でも言及しているが、高見順に『いやな感じ』というタイトルの小説がある。「いい感じ」よりもそっち、「いやな感じ」と付き合ってきた。ずっと、なんかいやな感じがしている。今回の本は、自分の体験や思索を振り返るようにして、この社会に染み込んでいる「いやな感じ」はどういう蓄積物なのかを見つめようとした記録である。

こちらは1982年生。平成が1989年に始まったので、平成の30年間は物心がついてからの自分そのものだ。同世代が読めば通じやすい話も出てくるが、特に世代論ではない。主題は、史実や思い出ではなく、「感じ」である。ある程度は時系列に進みつつ、記憶を掘り下げていく。とはいえ、一直線に現在までを語るのではなく、ジグザグに進んでいく。あなたが15歳だろうが95歳だろうが、自分もあなたも今を生きているのだから、この「感じ」について、どこかでつながるのではないかと思う(つながるのを目指しているわけではないけれど)。

簡略化して言えば、新聞を読んでも、テレビを見ても、ネットを眺めていても、そこでは「一体、これからどうしたらいいんだろう?」という不安が渦巻いている。解決策を提示するのは難しい。そんなの無理。自分の解決策さえわからないのに、他人に解決策なんて提示できない。それ以前の話、なんでこういう感じなのか、なんでこういう感じが続いているのかを考えてみるしかない。読むと、それはただ、あなたがそうだっただけでしょうと思うかもしれない。反論できない。するつもりもない。

でも、こちらがこうだったときに、あなたや近くにいる人がどうだったかをぶつけてもらえると、今、なんでこういう感じなのかという疑念が、ちょっとだけくっきり見えてくるのではないかと思う。それが本書の狙いなのだが、もちろん、書き手の狙いなんて無視してもらって構わない。

なんかいやな感じ　目次

なんかいやな感じ

なんか不穏

14型くらいのテレビには、画面の真下にイヤホンの差し込み口があって、自分の口の中にはやわらかくなったキャラメルが入っている。絶好の条件が揃った、とばかりにキャラメルを口からぬるりと取り出し、三分の一ほどカットして差し込み口に突っ込む。スーパーから帰ってきた親が早速発見する。「誰がやったの?」。兄は即座に否定。自分も即座に否定。未解決事件として封印される可能性に期待したものの、期待する体が小刻みに震えていたようで、体をこちらに向けて「なぜ入れたの?」と問い詰めてくる。子どもの頃を思い出すたびに、叱る前に問いかけてくる親が浮かぶ。こっちが大人になっても同じ。何かと「どう思った?」と問いかけてくる。あらかじめ用意している自分の見解を補強するために他人の意見を募ることをしない、というのは、なかなかありがたい姿勢である。しかし、山があれば登りたくなるような具合で、穴を見ればキャラメルを詰め込みたくなった年頃に、「なぜ入れたの？」への返答などできるはずもなく、残された唯一の選択肢として、その場で泣き崩れた。キャラメルをつまようじでほじくり出す親と泣きじゃくる子、それが、自分が5歳か6歳くらいに記憶している、昭和の終わりの光景である。テレビの色はうぐいす色をしていたが、もとからそうだったのか、それとも、もとは白かったのか。

キャラメルは完全には取り除けなかったが、そもそもテレビは、テーブルから離れたタンスの上に置かれていたので、イヤホンを使う機会が奪われたと機嫌を損ねる誰かが生じたわけでもない。できるかぎり、キャラメルをほじくり出すと、差し込み口が紙のガムテープで塞がれた。前にアリが出たからだろうか。布ではなく紙のガムテープ。しばらくして剝がそうと試みるも剝がれなくなり、一部分だけが残る、なかなか不恰好な状況が続いた。紙のガムテープが起こす悲劇の性質ってずっと変わらない。あいつらはあの不便さを自覚していると思う。

そのアパートから一軒家に引っ越したのは1992年、このタイミングでテレビを買い換えたはずだから、「キャラメル痕」は昭和から平成へ、時代をまたいだことになる。テレビにリモコンはなかった。父親が「野球にして」と言うと、テレビに一番近い席に座っていた自分がチャンネルボタンを押しに行き、わざと別のチャンネルを押して戻ってくる。母親が「これがいい」と旅番組を見る。温泉宿の夕食って、どうしてどこも代わり映えしないのか。

温泉に入った後なのにどうしてこんなにメイクが濃いのだと母親が突っ込む。「いや、野球にして」と、わざとらしい小競り合いが始まったが、すぐに鎮まった。だいぶ穏やかな家庭だったのだろう。

ガムテープ痕付きのテレビから流れてくるものがどことなく黒ずんだのが昭和の終わり。自分の記憶の始まりは、おおよそ昭和の終わりなのだ。「何かが終わり、何かが始まる」とは、そんなに考えもせずに提出したら最終的に通ってしまった大衆映画のキャッチコピーのようだが、春から小学生になるタイミングの自分には、「終わるもの」の正体も「始まるもの」の正体もよくわかってはいなかった。卒園式で「もう会えなくなる」という感覚を初めて覚えたのだが、帰りのバスを待つ間、体育座りをせずに、いわゆる「うんこ座り」をすることを心がけていた自分は、卒園式のその日も、うんこ座りにこだわっていた。なぜこだわり始めたのかは覚えてはいないが、武田はうんこ座りで待つヤツ、と周知されていた。だから、うんこ座りを貫いた。周囲の期待に最後まで応えたのだ。6歳児でもそれなりに感傷的になり、それを精一杯カモフラージュしていたのだろうか。家から歩いて15分くらいのところにあったのに、もう一生会えないのだろうなと思っていた。

宮﨑勤に殺された幼女たちと年齢が近い。東京都東大和市、多摩湖のほとりで子どもを育てる母親が、「外」に対しての警戒感を持っているなと感じていたが、その警戒心は、今になって起きていたことを振り返ればわかる。1988年8月22日、宮﨑は入間市の団地で幼女を誘拐し、自宅のある五日市町（現・あきる野市）の山林で殺害した。2人目は飯能市の小学校近くで誘拐、同じ山林で殺した。3人目は川越市の団地で誘拐して、入間郡名栗村（現・飯能市）で殺害し、近くの山林に捨てた。4人目は江東区の都営住宅前の公園で誘拐、切断した遺体の大半を飯能市内にある宮沢湖霊園に捨てた。自分の住まいとそこまで遠くないところから、恐ろしい知らせが次々と入ってくる。日が沈めば、あっという間に人通りが少なくなる地域で、被害者とおおよそ同い年くらいの子どもを育てる、というのは、警戒心が途切れず不気味だっただろう。

　当時、テレビでは、行方不明者を捜索する番組が繰り返し放送されていて、少しでも情報があればこちらまで連絡してほしい、と嘘くさく見えるほど深刻な表情をしたアナウンサーが電話番号やファクス番号を繰り返していた。テレビ画面の下3分の1くらいをつかって、大きく番号が表示され、オペレーターの女性たちが複数の電話の前に並び、電話を待ち構えていた。霊能力者が「……えっと、道路が見えますね」なんて言っている番組もあった。そりゃあ、道路なんて、どこにでもあるだろう。これまでの事件を振り返りつつ、その足跡が地図上に示される時、水色に塗られた多摩湖が目に入った。湖を囲むサイクリングロードから一本入ったところに暮らしていた。未解決誘拐事件の再現ＶＴＲに、自分とよく似た背格好の少年を連れ去っていく大柄の男の姿が描き出される。左右に雑草が生い茂った砂利道を、ジャリジャリと音を立てながら消えていく。自分が暮らしている風景にあまりにもよく似ていて、「ほら、サイクリングロードからもうちょっと先にいったあの道に似ている」と恐怖心を覚えた。宮﨑は子どもたちをビックリマンチョコで誘い出していた。当時、子どもたちの間では天使カード、キラカードが話題の中心にあった。特別なシールを持っている友人を妬み、あまりチョコを買ってくれない親を恨んでいた。彼はそれを知っていた。昭和の終焉はこうして曇りがかっていて、その曇りの成分といえば、世の中全体の曇りと、地域特有の曇りとが混じりあっていた。そのふたつを頭の中で区分けできていたはずもないのだが、なんだかとっても不穏であることを親も隠していなかったように思う。

2019年、平成が終わるタイミングで、平成を回顧する動きは弱かった。起承転結を作り上げて物語として編纂することを拒んだのか、じっくり語ろうとする動きはとにかく乏しかった。あるいは、果敢に挑戦したものの、読者や視聴者に届かなかっただけなのだろうか。改元のタイミング、つまり、2019年4月30日、朝刊を開いて新聞のラテ欄を見ると、NHKで23時25分から放送された特別番組『ゆく時代くる時代』には「その瞬間あなたは…▽渋谷交差点熱狂生中継」と書かれていた。渋谷の交差点が熱狂するに違いないと断言する、類い稀なジャーナリスト魂に打たれつつ、「その瞬間あなた」、つまり私が何をしていたかといえば、ＮＨＫの予測通りに熱狂している「渋谷交差点」の生中継を見ていた。

スクランブル交差点で、あっち（もはやどっちでもいい）のほうからやってきた人と、こっちのほうから向かっていく人がドッキングして騒いでいる。今日はあそこが賑わうらしいと噂を聞きつけ、あちこちから集った人たちがそこで騒いでいる。カメラを向けると、カメラを向けられている自覚を持った「おっ！」や「わっ！」の瞬間が映り込む。その後の反応を文字にすると「うひょーい」「いえーい」ってな感じ。少なくない人たちから「バカみたい」と指さされると知りながら、わざわざ電車を乗り継いで、それをしにくるのだ。ソファーに座り、リモコンでザッピングしながら、テレビに指をさして、自覚的にため息をつく。新元号を発表したあと、世論調査によっては内閣支持率が10ポイント近く上昇した。新しい元号が決まったとパネルを掲げた官房長官は「令和おじさん」と持ち上げられ、「週刊現代」では、これであなたも令和おじさんになれると、「令和」のミニポスターを折り込んでいた。家のどこかにあるはずなのだが見つからない。

平成は、曇りがかっていた記憶から始まり、軽薄だけど正体の見えない靄の中で終わっていった。平成史とは自分史で、自分史が平成史にもなる。でも、それを安直に紐付けしたくない嫌悪感がしっかり残る。その、残った嫌悪感とは何なのか。バブル景気のころにようやく自意識を持ち始めるが、その自意識や向ける先は享楽的なムードではなかった。西武線の中吊りには、好調だった西武ライオンズの試合レポートとともに、宮沢湖の広告が載っていて、ここにあるサイクルモノレールが楽しくってたまらない的なことが書かれていたはずなのだが、それを直視するのには、やっぱりためらいがあった。だって、そこ、殺されて、捨てられてしまった場所だから。各車両に必ずある宮沢湖の広告が苦手だった。親が「外」に向けていた警戒心は、自分たちの住む多摩地区だとか、いわゆる都下の局地的なものだったのだろうか。砂利道を立ち去る後ろ姿への恐怖心を覚えていたのは自分だけだったのだろうか。誰とも共有したためしがない。のちに昭和の終わりと平成の始まりが語り直されるとき、あの不穏さが抜けている。抜けているのか、もとからそんなものはなかったのか、よくわからない。どんな語りもウソではないが、この人の語りならばすべて本当という話でもない。

桐野夏生が『OUT（アウト）』で描いたのは、自分たちが住む東大和市の隣、武蔵村山市にある広大な自動車工場のそばにある弁当工場で働いている主婦たちが、仲間が殺した夫の遺体をバラバラに切断する物語。東京で唯一、電車が通じていない市に多摩モノレールを延伸する計画はいまだに実現できていない。当初、待ち構えていた人たちも、およそ諦めていると聞く。日産の自動車工場はなくなり、巨大なショッピングモールになったが、街としては影が薄い。その薄さを自覚している潔さを好ましくも思っている。そうやって取り残されている場所で遺体を切断するというストーリーには不気味なリアリティがあった。あの砂利道映像のリアリティとも似ていた。田舎でも都会でもない平坦な街にある不穏さを小説から感知したとき、ごく幼少期に感じていた「外」への恐怖心が蘇ってくる。キャラメルを突っ込んだテレビは、剝がしきれないガムテープの痕を残したまま現役を続けたが、いよいよ買い替えるとなったときに親が車を走らせたのも、このあたりにある家電量販店だった。このあたりは活断層が通っているんだよね、と親が言った。あとで調べたら、本当に通っていた。それからは、家電量販店や近くの大型スーパーに行き、親と離れた場所にいると、今、活断層が動き出したらどうしようと怖気づいた。

生まれてしばらく熱狂と無縁で育ったのだが、ちょうどその頃、世の中はバブルに浮かれていたはずで、その「浮かれ」が東京のど真ん中にあったとすれば、あれって、どのようにして薄まっていたのだろう。どこまで届いていたのだろう。電車をいくつか乗り継ぐだけで弱まってしまうものだったのだろうか。かつての映像や記事で「浮かれ」を点で把握するものの、線や面にはならない。お札を手にしてタクシーを止めてたんだから、という嬉しそうな述懐が聞こえる時、自分とは程遠い、すっかり遠い昔の話だと思うのだが、実はその時代に、自分も生きていたようなのである。

自分が生きている空間の下地は不穏だったと思う。思っているだけだったのか、本当にそうだったのか。今でもずっと、「外」に対して、基本的に不信感がある。そのあたりを、警察がブルーシートの上に押収物を並べるようなアプローチで記憶と記録を放出し、それはなんだったのか、時間をかけて読み解いてみたい。

神戸と東日本、二度の大きな震災があった。オウム真理教による一連の事件があった。宮﨑勤に殺されてしまった幼女たちと年齢が近かった自分は、神戸連続児童殺傷事件の少年Aと同い年だった。2000年前後に相次いだ、いわゆる「キレる若者」と呼ばれた犯人たちも、こぞって同い年だった。2008年、秋葉原で発生した無差別殺傷事件の犯人も同い年だった。この共通点で括られると腹が立つのだが、こっちから能動的に括ってしまいたくなる感覚もずっと残っている。共有したいわけではない。主導権を握れるならば括ってしまいたいという感覚。

渋谷の熱狂で閉じた、というか、メディアが閉じようとした光景は、自分にとっていかにも平成的だ。とっても適当だな、勝手なもんだな、その場しのぎだな、と思う。あの平成最後の日、非正規で働いている友人から連絡が来て、10連休なんかやられたら給料が3分の1減るってことをおまえたちはもうちょっと伝えてくれよ、と言われた。渋谷は、いつからか東急東横線と西武池袋線が直結するようになったが、時折、渋谷から副都心線で「飯能」行なんて表示の列車に乗ると、そういえば、宮沢湖のあたりってムーミンのテーマパークになったんだよな、と思い出すのだが、さすがにこれは、この原稿に合わせた都合の良すぎる思い出し方だろうと自覚している。

特有のウザさ

　家の近くにあるコメダ珈琲店で資料を読んでいると、新型コロナウイルス流行に伴う一斉休校でヒマを持て余したのか、4人掛けのテーブルで高校生3人組が勉強をしていた。こういう光景では、もれなく、それぞれの勉強はうまく進んでいない。全国的にでも、世界的にでも、あるいは歴史的にでも、いかなる方法で調査しても、同じ結論が出るのではないか。静寂を保てるのは、ものの2分くらいのもので、そこにいない人の話題を1人が切り出せば、残りの2人がその人についての最新情報を補ってみせる。おかげでこちらは、岡本さんの優柔不断っぷりと、岡本さんがその優柔不断を自身のキャラクターだと前向きに受け止めているものの、周囲はそこまで寛大ではない、という深刻な事実を教わる。これを、岡本さんは知るべきなのだろうか。卒業までこのままでいいのか。岡本さんには岡本さんなりの言い分もあるだろう。

おもむろに卒業式の話に移行、「で、どうする？　卒業式、泣く？」と問いかけている。問いかけ自体が相当にコミカルだが、真剣な表情で「うーん」と悩んでいる。今、こうして大人になってからでは問うことすらできないフレーズだと思い、「喫茶店で、高校生3人組が『どうする？　卒業式、泣く？』と、方向性の確認をしている」とツイートしたところ、瞬く間に拡散された。最近流行りの、自身の影響力を最大化することを始終考えている書き手ではないので、その拡散に特段の喜びはないものの、こういったものは、ある一定数を超えると五月雨式に様々な意見が飛び込んでくるようになるので、その意見を分析するのはそれなりに意味がありそう。分析した結果、概ね3つに区分けできた。

1：えっ、そりゃ言うでしょ。っていうか、さっきも似たようなこと言ってたし。わかる、わかる。

2：そんなこと言っているのに、本番になると泣いちゃうのが卒業式なんだよね。微笑ましい。

3：最近の女子高生は、そんなことすら友達と決めなきゃ安心できないのか。この同調圧力、けしからん。

各々が詳しいプロフィールを載せているわけではないが、「1」は、最近、似た会話を繰り広げたことへの共感を明らかにしているから、若年層なのだろう。つまり、現在の話。

「2」については、自分の経験を振り返っている。自分語りとまではいかないが、その用意ができている。「1」と「2」の量はざっと眺めたところ、同じくらいの数。SNSを使えば、あらゆる人に情報を届けられるようになったが、あらゆる人から監視されている状態とも言い換えられる。思いもよらぬ拡散によって、特定の個人の、人生そのものが丸ごと危うい方向へ転がっていく事案も相次いできた。その手の場合に問題視されやすいのは「3」だ。「1」や「2」に比べれば数は少ないのだが、あのわずかな情報から最近の女子高生への苦言にまでつなげてみせる「3」のような力技をあちこちで見かけるようになった。それは、大人が大人ではない人に向けがちな力技だ。

ちなみに、先のツイートでは一言も女子高生とは記していない。確かに実際には女子高生3人組だったが、「女子」と明示することによって、男子と女子の比較が始まるに決まっていると予測し、ツイートに性別についての情報を含めなかった。それなのに、勝手に補足され、勝手に苦言を呈されてしまったのだ。自分のこれまでの暮らしに染み渡っていた「ウザさ」とは何だったかを考えると、こういう「3」に象徴される感覚が答えとして出てくる。答えとしては漠然としているが、急いで明確にするものでもない。ここはゆっくりいきたい。

人は、人としての歩みを重ねていけば、誰だって経験を積み上げていく。その経験を誰かに伝承するかどうかは人それぞれ。背中で語ろうとしたものの、そもそもその背中を誰も見ていない、という状態はいくらだって想定できるし、むしろ、その空疎な背中を離れたところから眺めつつ、反面教師的に学びを得た人も多いだろう。この数十年を振り返る上で、1995年が時代の転換点として語られることが多い。阪神・淡路大震災、オウム真理教による地下鉄サリン事件、もんじゅナトリウム漏洩事故、沖縄米兵少女暴行事件が発生し、「Windows95日本語版」が発売された。ありとあらゆる可能性が拡張した瞬間だったに違いないのだが、情報が四方にバラ撒かれる時代の到来を知らせたタイミングでもあった。

1989年に幼稚園を卒業した自分、その卒業に合わせて販売されたのが、親が「幼稚園が執拗に購入を迫った」と語る高額のVHSテープだった。たしか8000円くらいしたと思う。ビデオケースにはプリントアウトして裁断機でつくったモノクロのプリントが挟まれていた。プロの仕事で仕上げたVHSには、当然、バランス良く園児の顔が映っていた。合唱祭では小太鼓を担当したが、前衛音楽に聞こえなくもない変拍子を連発した自分は明らかに場を乱していた。その様子を見て確実に笑いを得る以外の目的では、そのVHSをビデオデッキに突っ込むことはなかった。

そういった映像や写真、そして文章が、おおよそ自分たちのためだけに用意される時代は自分たちの思春期までだったはず。つまり、自分たちの頃は、先の「3」のような意見って、なかなか飛び込んでこなかったのである。今や、どこにでも転がっている、この瞬間も増幅している、見ず知らずの人からの余計なお世話、頼んでもいないのにアドバイス、横入りの苦言、安全圏からの冷笑が限りなく薄い暮らしをしていた。当時、「守られている」なんて感覚はなかったけれど、今、ちっとも「守られていない」状態から考えると、あの時の小太鼓の変拍子は、同じ幼稚園に子どもを通わせている家庭くらいにしか伝わらないギリギリのタイミングだった。

今、あの変拍子が動画サイトにアップされたなら、そのまま無視されるか、少しだけ拡散されるか、大いに広まるか、いずれかの道を歩む。大いに広まれば、爆笑映像だと面白がるコメントの中に、「確かに微笑ましいのですが、この日のためにがんばってきた他のお子さんもいらっしゃいますよね……。そして、親御さんも。その点、少しかわいそうな気もしますが」といった「3」が浮上する。先の珈琲店の例では、そもそも隣に座る中年の入り口くらいの男性がそういったツイートをしているとは思ってもいないだろうから、こんな自分こそ「3」の火付け役の一人ではある。自分がそこでツイートしなければ「ウザさ」は発生しなかった。多くの人から見られている状態、その濃度が徐々に濃くなっていき、それがやがて監視の成分を含むようになり、いつしか、「濃くなるのも悪くないよね？　嫌がっているのは身に覚えのある人だけだよ」なんて声まで膨れ上がっていく。あらゆる状況において

「3」が培養されていった。その加速・膨張を肯定的にはとらえにくい。

消費税が導入されたのは1989年のこと。自分のお金として自分でモノを買う、という経験をしたのは「遠足のおやつ」。上限200円をどのようにやりくりするかを悩みあぐねた。小学校に入学したのがまさに89年4月だから、そう考えると、自分は消費税を払わない状態で買い物をしたことがないのだろうか。いや、そんなことはない。行きつけの駄菓子店「たなべ」で消費税を払った記憶はない。記憶しているのは、「たなべ」がなぜか駄菓子以外のものもふんだんに常備しており、理科の実験で使う「エナメル線」も取り扱っていたこと。「おっちゃん、エナメル線」と言うと、木彫りの仏像を作り続けている、ほとんどしゃべらないおっちゃんが奥の方からエナメル線を取り出して、必要な分を切り落としてくれた。おっちゃんは、必要とされる分を知っていた。エナメル線って学校で支給されなかったのか、追加分だったのか、自由研究で使うものだったのか、なぜ買うことになったのかを忘れてしまったが、「あそこでエナメル線を買える」という情報は同級生に共有されていた。エナメル線にも消費税はかからなかった。そのお店にあるガチャガチャには偽物商品も多く、それをわかった上で、100円の時計を手に入れた。もちろんすぐに時間がずれて、間もなく壊れた。当時はビックリマンチョコがあまりにも売れすぎて、便乗した会社もあったというが、それに手を出した記憶がないのは、冷静に判別できていたからなのか、それとも、「たなべ」がそんなパチモンを仕入れていなかったからなのか。自分の腕には偽物の100円時計が巻かれていたのだから、そんな潔白な商売哲学はなかったはずである。「たなべ」が消費税を小学生に払わせなかったのは、消費税の納税義務者ではなかったからだろう。2004年3月までは年間の売り上げが3000万円を超える事業者が納税義務者となり、それが4月以降に1000万円に引き下げられた。そういう小さめのお店って消費税は関係ない、というわけではない。消費税とは取引に対して課税されるものであり、駄菓子屋が駄菓子を仕入れる時に、その駄菓子に消費税がかかっている。消費税の議論を手短に済ますことは難しいのだが、「当店は消費税をいただきません」というスローガンがあったとしても、そこには「こっちでなんとかします。引き受けます」というニュアンスが含まれているのだ。消費税の納税義務者ではないお店が、お客から消費税をもらっていたら、販売時の消費税額から仕入れ時の消費税額を引いた額が手に入る仕組みになってはいた。あの時の「たなべ」は違っただろう。エナメル線に消費税がかからなかったのは、納税義務者ではなかったから。でも、仕入れには消費税はかかっていた。おっちゃんは、消費税をとってもよかったはずなのである。

平成が終わってから数ヵ月後に消費税が10%に上げられたが、多くの老舗店舗がこの増税を機に営業を停止してしまった。NHKニュースを見ていたら、50年間続けてきた喫茶店の店主が出ていて、閉店を決意したと述べていた。「消費税にポンと背中を押されて、やっぱり9月かなという感じになった」と静かに微笑んでいる。こんな思いをさせてしまう増税ってどうなんだろう、と疑問視するツイートを投じると、多くの賛同の声に混じって、「増税によって確かに財布の紐は固くなるでしょうけど、仕入額の増加を商品価格で補えないのならば、他に経営上の問題があるはず」といった声がいくつも入ってくる。おっ、例の「3」の登場だ。コーヒーの値段を50円上げるのがどれくらい大変なのか、こちらは知らない。苦言を呈した人だって知らないだろう。消費税が始まった平成を乗り越え、消費税増税で始まった令和を乗り越えられなかった喫茶店に、そういう見知らぬ声が向かうのが、まったく「ウザい」のだ。

アドバイス、ツッコミ、異議申し立て、苦言、その類いが、相当な飛距離でどこからともなくぶつかってくる。ポジティブに未来を照らすような論考には、情報の総量や効率性が喜ばしく語られることが多いのだが、自由気ままに手に入れた飛距離によって、先の「3」があちらこちらにぶつけられている。その負荷に、自分たちはまだ耐えられていないのではないか。

無論、自分もその加担者になり、送信者になり、受容者にもなる。ウザく思うし、ウザがられもする。不穏で、ウザい。否定的なニュアンスばかり重ねてしまうが、そればかりではなかった。と書きつつ、そればかりではないことをこの後に続けるのかどうかは定かではない。

ケジメとは

授業中、クラスの女子同士が小さな手紙を回していた最後の世代ではないかと踏んでいるのだが、もしかして今も続いているのだろうか。20年以上経過した後、あれにはどういったことが書かれていたのかと尋ねても、「たいしたこと書いてないよ」とぶっきらぼうな返事が戻ってくる。この期に及んで隠しているというわけでもないだろうから、本当に意味なんてなかったようなのだ。

窓側後方のAさんから、廊下側前方のBさんに届くまでは、およそ7〜8人のリレーを必要とする。先生が板書しているタイミングを見計らって速達で届けられるその手紙が、「てか、理科つまんない」程度の、無意味なことばかり書かれていたのだとすれば、多くの手を煩わせる行為と天秤にかけなかった判断に今さら勇ましさを覚える。

誰かと誰かの無意味な手紙の交換、その速達に関与する生徒たちは一定のリスクを背負う。中身はわからなくても、形状だけでも情報になる。イヌだかネコだかの形に折られている便箋や折り紙には特別感があったし、一方で、ルーズリーフの四つ折りは緊急性の高さを感じさせた。いつものあいつらに、なんかあったんだろうか。黒板に板書を始めると、書き終わるまでは一切振り向かない教師と、時折こちらを振り返る教師にわかれる。頻度もそれぞれであり、利き手によって体の向きも変わる。AさんとBさんが盛んに手紙をやりとりし続けていた時、自分は教室のど真ん中の席にいた。「○○先生は結構振り向く回数が多い。そのリスクを考えた時に、横に渡すよりも前に渡した方が見つかるリスクが少ない。前のやつのモーションは大きくなりがちだが、ここで横に渡すのは、自分が危うい。悪いけどその子にお願いしよう」と一瞬で判断し、前の人の肩を叩く。叩かれた意味を知っている前のやつは、体勢を崩さずに右手をすっと後ろに出す。いつか『警察24時』で見た薬物の受け渡しにあまりに似ている。こうやって、多くの人の協力によって、「理科つまんない」程度の手紙が繰り返し運ばれていった。手紙は、ほとんどの場合、教室の真ん中を通過する。今、30人いる場所を自分のさじ加減で取り仕切ることなんてできるはずもないが、あの頃、最適な手紙の通過方法にかんしては皆からの絶大な信頼を得ていた。あれ以来、大勢からの信頼を勝ち得ていないな、と思うほど。

「24時間タタカエマスカ」というＣＭが流れていたのは覚えている。１９８９年に流行ったようだが、父親は朝6時すぎに家を出て、夜の9時くらいに帰ってきた。最寄り駅は15～20分に1本くらいしか電車が来なかったから、「あの電車に乗っていなかった」とわかり、父親の帰りが少し延びると心の中で静かに喜んだ。帰ってきた途端、チャンネル権が父親にわたり、巨人戦の野球中継に付き合わされる。少々早めの8時台に帰ってくると野球はちょうど佳境を迎えているが、9時台になると、試合中継が延長されていたとしても勝敗はおおよそ見えている。試合展開によってはチャンネル権が剝奪されないことも多かった。決して父親が強い家ではなかったが、チャンネル権はスムーズに与えられていた。どこの家もそうだったのだろう。夜遅くに帰ってきて、朝早くに出かけていった。

『ニュースステーション』の久米宏が「巨人が優勝したら丸坊主になる」と約束し、案の定、丸坊主になった。久米は「ケジメ」という言葉を使った。それに引き換え、リクルート事件にからむ政治家は「ケジメ」をつけずにあちこちから批判が渦巻いた。定年を迎えた男性が趣味を持てずに妻のあれこれの用事にひっついてくる「濡れ落ち葉」なる言葉も流行ったというが、今もなお、「濡れ落ち葉」感は漂っている。ひたすら働き続けることが美徳とされた社会で、それなりの立場に行き着いた男たちが、定年後に家で濡れた落ち葉と化している問題は残っている。仕事人間から仕事が抜けると人間としての土台を失うというのはもはや慣習なのか。

この話と、少し前に、親しくしている書店員から聞いた「開店と同時に、他国を貶して日本を褒める雑誌を買いに来るのって、定年退職したであろう男性ばっかりなんだよね」という愚痴はリンクしてしまうのだろうか。罵詈雑言（ばりぞうごん）を海の向こうに投げると、自分の視界が広がったような気がするらしいのだが、そもそも視野が狭窄（きょうさく）している。そう指摘すると、これまでの人生経験を持ち出してきたりする。自分とあなたの年齢差はいつまでも縮まらないのだから、人生経験はそちらがずっと上になる。議論に勝ちたいという強い気持ちを知る。明らかに負けていても、勝てそうな角度を探してくる。よくぞ探してきたなぁと呆れながら感心していると、打ち負かしてやったぜ、と思うらしい。もう、それでいいよ、なんて思ってしまう。定期的に「濡れ落ち葉」に絡まれるこちらの実感である。大きなダメージはないのだが、大きなダメージを与えてやったぜという態度でいる。どうすれば、「そうでもないっすよ」とお伝えできるのだろう。

1990年、日本人初の宇宙飛行が実現、搭乗したのはTBS社員の秋山豊寛だった。彼が漏らした「これ、本番ですか？」との第一声はよく知られている。何度も地上でトレーニングやリハーサルを繰り返していたはずなのに、今回が本番だと気づかなかったおっちょこちょい発言、と理解されていたが、実は、TBSのスタッフとあらかじめ交信していたところ、放送に乗っかるタイミングがわからず、アナウンサーからの呼びかけが打ち合わせの時刻より5秒早かったため、そう答えてしまったのだそう。本来は「宇宙から見た地球は混沌としています」という言葉を用意していたが、窓から見える景色は混沌としていなかったのだという。うっかりさんではなかったのだ。

我が家は『釣りバカ日誌』が好きな一家だったが、この映画シリーズが開始されたのが1988年。テレビで繰り返し放送されていたから、鈴木建設営業3課に勤める浜崎伝助（西田敏行）のサラリーマンライフを、こちらは具体的なサラリーマン像として眺めていた。あの作品の面白さは、浜崎がいわゆる「ほうれんそう（報告・連絡・相談）」を気持ち良く怠るところに集約される。有休は事後報告。遅刻する連絡をしない。トラブルがあっても相談せずに交渉してしまう（結果、うまくいくことが多い）。守るべきことを守らない。叱られても笑い飛ばす。トラブルの渦中にいながらもどこか軽妙を維持している。一方で、浜崎の上司・佐々木課長は、自分の出世のことしか頭にない。鈴木社長から電話がくれば、どんな用事があろうとも直立不動で電話に出て、その指示をすべて引き受ける。懲罰委員会にかけられた浜崎を、釣り仲間である社長が寛大な措置で揉み消してくれるのだが、その度に役員連中がとても不服そうな顔をする。私たちはいつも嫌々ながら忠誠を尽くしているというのに、どうしてこんなダメな平社員をかばうのか、という怒りと呆れが混じった顔。映画が始まって数年でバブルが崩壊したのだから、浜崎の姿は多くのサラリーマンにとって「それどころじゃないだろ」という姿であったはずだが、結果、「いいよな、浜ちゃんは」と、しばし癒すような存在に位置付けられていたのだろうか。浜ちゃんには、会社を辞めた後に「濡れ落ち葉」になる危うさが少しも感じられなかった。お気楽な佇まいがあった。「これ、本番ですか？」にもまた、その佇まいがあった。とぼける余白が残っていた。

初回で記したように、自分はこの時期、テレビから不穏さを感じていた。自分の近くで自分と同じくらいの子どもが誘拐され、そして殺害され、行方不明者を探す番組の再現ＶＴＲに怯えていた。そういう不穏さと、あのお気楽さはどのように区分けされていたのだろうか。自分の世界と、いわゆる世の中といわれるものの接続点や境界線はどのように存在していたのだろう。

多摩湖のほとりに住んでいた自分にとっては、新青梅街道（しんおうめかいどう）がその接続点であり境界線だった。子どもの足で小さな自転車を漕いで10分ほどのところに、市の真ん中で北南を分断する大きな幹線道路があった。地域の子ども達の多くは「子どもだけで新青梅街道を渡ってはいけない」との通達を親から下されていた。新青梅街道を渡ってすぐのところに「アイワールド」という名の大きなディスカウントショップがあり、子ども達を誘惑するスポットになっていた。神奈川県相模原（さがみはら）から進出してきた「アイワールド」は２０００年代に潰れてしまうのだが、最終的には相模原店とこの東大和店を守り抜いていたと今さら知る。新青梅街道を渡るな、とはつまり、「アイワールドに行くな」を意味していた。通達されると破りたくなる。破りたくなった面々でこっそり集う。新青梅街道を渡り、何を買うわけでもなく、お店を回遊する。熱帯魚の水槽をコンコン叩いて過ごすだけでも冒険心は満たされる。そのうち、「アイワールド」に行っている事実が発覚し、しどろもどろの弁明をした。もちろん、人のせいにしたし、自分ではどうすることもできない不可抗力だったと主張し続けた。事実、「オレはいいや」と断れる雰囲気ではなかった。

ある時に女子の手紙が流出した。流出というか、男子がゴミ箱から拾い上げ、それを男子トイレで自慢げに広げる準備を進めているところに立ち会ったのだ。そういうのはよくないよ、と正義感を持ちながらも、その正義感を早速隠し、身を乗り出した。広げてみると、ウサギだかネコだかのイラストが描かれ、その横に「さっきはごめんー」と書かれていた。真剣な謝罪でさえない。好きな男子の名前とか、嫌いな先生の悪口でも書かれているのではないかと期待していたのに、そうではなかったのだ。約束を破る、人を騙す、言うことを聞かない、しらばっくれる、反省したふりをする、そういう行為って、一体いつ覚えたのだろうかと振り返ってみたら、自分の場合、行き着いたのはまさしくちょうど平成の始まりのあたりだった。

誰だってそうなのだろうが、嘘や言い訳の能力は歳を重ねるごとに鍛えられていく。鍛えられる前に、覚えるタイミングもある。テレビのイヤホンの差し込み口にキャラメルを突っ込んで泣き崩れたのは昭和の終わり。平成が始まると、自分なりに世の中を見渡すようになり、嘘をつき、言い訳するようになった。今回、どうしてこういう方向の話になったのかが自分でもわからずにいたのだが、テレビをつけたら、世界がコロナに襲われて、でも、こんな時だけど頑張ってます、とアピールばかりする政治家のみなさんが映っていて、ああ、この人たち、もう何年もずっと嘘と言い訳と自己肯定ばかり繰り返しているな、と思い続けたからなのだろうか。

新青梅街道を渡った事実はないと言い張ったり、手紙を盗み見した事実を隠したり、かつての自分の幼稚性を振り返ってみたら、テレビに映る人たちの幼稚性と合致しているのはどうしてだろう。まさか、自分が大人びていたということなのだろうか。テレビに映る人が幼稚ということなのだろうか。どちらなのかはもうわかっているのだけれど、どちらかわからないってことにしておいたほうが、最低限の平穏が確保できるのだろうか。あと、ケジメってどうやったら教えられるのだろう。このところ、テレビを見ながらそんなことを思ったりもする。

土埃

もうだいぶ前、ある詩人から、土が家の中に入り込んでくるとエロティックだ、と澄まし顔で言われたことを妙に覚えている。台所で根菜を洗い、こびりついた土がシンクに落ちる。落ちて、いくらかが張り付く。本来ここにあってはいけないものがそこに存在する様子に背徳感を覚えると言っていた。その感覚を共有できたわけでもないのだが、家の中に侵入した土を異物と強く決めつけたくなる感覚はわかる。泥だらけになる機会は途端になくなる。最後の機会に、これが最後になるはずとの自覚もない。泥だらけになって帰ってくる人がいるわけでもない。夫婦二人で暮らしていると、外にあるものが、中に流入しにくくなる。払い落とし、拭き取り、捨てる。ちゃんと入らないようにするのだ。その詩人は、子育てが終わってからしばらくすると、たちまちこういうものが異物に見えるようになった、と言っていた。

ものすごく積極的に土に関与していかない限り、泥まみれにはならない。「土いじり」という大人の趣味は、なんだか珍奇な名称をしている。逆説的だが、日頃、いじらないからこそ、いじりが趣味になる。そこらへんを走り回っている子どもや、毎日のように手を地面にこすりつけて何かをしている子どもに、「土いじり」という概念はない。仕事部屋から見える公園には、夕方になると子どもたちが押し寄せる。怪しまれない程度に覗くと（むしろ、その「程度」こそ怪しいと思われている可能性は残る）、数週間前から砂場の四隅に杭が立てられ、イエローテープがぐるんぐるんに巻かれ、そのほかの遊具も使用することができなくなった。感染拡大防止のため……と書かれているであろう紙を貼り付けたイエローテープの周りを、マスクをした子どもたちが駆け回っている。夜遅くに通りかかると、汚れたマスクが一つは落ちている。

コケて、泣く。公園でコケると膝小僧が血と砂が混じった状態になるので、急いで水洗いをする。強い痛みを感じながらも、何度か繰り返すと毎度の痛みに慣れてくる。膝小僧も、「いつものアレですよね」と言わんばかりに紫色に染まり、やがて治る。あの痛みと、痛みへの慣れが懐かしい。毎年、初めての真夏日が来ると、ニュース番組では、「広い公園にある噴水ではしゃぎ、ビショビショになった子どもたち」の映像が流れる。試しに5年前の映像を流してもバレないのではないかと思うのだが、大人になると、ああやって外で汚れて帰ってくる経験が一気に乏しくなる。使い勝手がよすぎるような気がする「身体性」なる言葉に頼るまでもなく、ただ単純に、外にあるものにがむしゃらに触れる感覚が月日とともに失われていく。

仕事部屋は小学校の校庭にも面しており、風が強い日には校庭の砂が窓に打ちつける。一足遅れてスプリンクラーが稼働すると、舞い散る砂を水でそれなりに抑えたあとで、雨上がりのような匂いが広がる。部屋で夏を越え、この匂いに包まれるたびに「久しぶりだな」と思う。タオルで顔を拭いたら真っ黒になった最後の記憶を遡ると、もう20年を超えるだろう。少年が泥だらけのまま野球の練習から帰ってきたシーンから始まる洗剤のCMを見て、CMのターゲット層は「こんなに汚れが落ちるわけないだろ!」と思うらしいが、こちらは「こんなに汚れて帰ってくるものかな?」と疑う。でも、どうやら、あれくらい汚れて帰ってくるらしいのだ。新型コロナウイルスの感染が拡大し、小池百合子都知事などから、手を洗え、と言われる毎日となり、手を洗わずに叱られた日々を頭によぎらせるのだが、あの頃の手は本格的に汚れていて、白い洗面台が茶色く濁ることも多かった。流しっぱなしにしておくと、徐々に濁りが消えていく。学校から帰ってきただけなのに、なぜかその手はとてつもなく汚れていた。無自覚になにがしかの土をいじっていたのだろうか。午後になると、光化学スモッグ注意報が発令される日も多く、大きく息を吸うとむせてしまうのを、友人と共有することに盛り上がりを覚えていた。何度もわざとむせて、笑いをとっていた。

１９６４年に開かれた東京オリンピックも、１年延期すればなんとかなると精神論を無理やり沸騰させていた２０２１年の東京オリンピックも、競技場を一歩出れば、つまるところ、スクラップ＆ビルドの集積だった。「ビルド」によって広がった新しい光景ではなく、「スクラップ」によって消えた光景を記憶にとどめるほうが重要である。64年前後に書かれた文章を探すと、いわゆる提灯記事に走った作家たちの文章にいくつか出合う。こうして近しい過去をたどるように文章を書くと、それは、ついさっきまで謳われていた未来を検証する作業にもなるのだから、文章でも映像でも、「スクラップ」が抜けていると気にかかる。歴史を身勝手に整理する人たちの手つきはいつだって強引だ。

自分が住んでいた多摩郊外は、ベッドタウンと呼ばれていた。映画監督の富田克也は、円を描くように神奈川県横須賀市と千葉県富津(ふっつ)市を結ぶ国道16号線を撮影場所に選び、その理由を「物語の発生する余地がないのかもしれない」と語っていたが、16号線から十数キロ入ったところにある家の周辺に住む人たちの多くは、そっちではなく、円の真ん中に向かって出勤していった。あちこちに空き地があったが、一つずつ消えていく。自転車を飛ばして「アイワールド」に通っていた１９９０年あたりには、周囲の空き地がいくつもなくなっていく実感があった。では、そこに物語はあったのだろうか。

意味なく泥だらけの日々を繰り返していた時期に空き地が消えると、そこには大抵、色違いで同じデザインの一軒家が立ち並んだ。その様子を見て、こういうところに住む人ってどっちかというと敵だな、と大雑把に思うようになるが、ある時、自宅の目の前の空き地にも家が建ち、同じような表情をした家から、同じような表情をしたファミリーが出てきて、まさにそこで泥だらけになっていたこちらは、親に不快感を表明し続けていた。

その勾配のある空き地では、大量に生えたつくしを引っこ抜いてゴマ油で炒めて食べたり、ソリをしながらオオイヌノフグリを避けつつ、そのネーミングを笑ったりしていた。消えた光景をしつこく告発したがる癖は今に続いている。住宅地が広がれば道路も広がる。家の近くでガードレールを新設している工事現場を通りかかり、まだ乾いていないセメントに木枝で小さく「たけだひろかず」と本名を書き込んだのは、これまでの悪行の中でも上のほうに入るレベルだが、何年か前に確認しに行ったら、いまだに「……かず」くらいは原形をとどめていて、それなりに興奮した。一緒に書きに行った「むらた」くんは元気にしているだろうか。反省はしているが、後悔はしていない。

1991年、雲仙(うんぜん)・普賢岳(ふげんだけ)で大規模な火砕流が発生し、多くの人が命を落とした。死者の中に報道関係者が多く含まれていたこともあり、その関係者がコメントを残していた。夕方の『NNNニュースプラス1』で徳光和夫が悲痛な表情でニュースを報じる様子を覚えている。カメラに向かってくる火砕流、飲み込まれる家屋、一瞬にして灰色の光景が広がる。9歳とかそこらだから、報道の詳細を覚えているわけではない。でも、やっぱり色彩感覚は残っている。それより少し前の昭和天皇崩御、宮﨑勤による事件、そして火砕流、その色調が繰り返し濁っている。今になって各種資料にあたれば、ジュリアナ東京が開店し、『東京ラブストーリー』が放送された年でもあるのだが、多摩の子どもにはきらびやかさは届かず、土埃のイメージだけが残る。

後に、この91年が、1月に湾岸戦争が勃発し、12月にソ連が崩壊した年だと知る。自衛隊の初の海外派遣が閣議決定されたのもこの年だ。年々、自衛隊の活動領域が拡大してきているのは周知の通りだが、その度にテレビからは現地に無事到着したとの映像が流れる。数年前、自衛隊海外派遣部隊がイラクや南スーダンで日報をとりまとめていたにもかかわらず、防衛省が海外派遣された自衛隊の日報を隠蔽していた一件が取りざたされたが、問題視された頃、その日報をすべて読むという、あまりに面倒な仕事を請け負った。いざ開いてみると、そこには意外と楽天的なことが書かれていた。

「初めて接する他国の挨拶の風習の中で、最近対応に困っているのが、『ウインク』である。きれいな金髪の女性がウインクしてくれれば、うれしいのだが、残念ながらウインクするのは、額の面積が通常より広いオヤジか、ヒゲヅラのオッサンばかり…。オッサンが相互にウ

インクする光景の中に自分がいることが許せないから、私がウインクしたことは一度もない」（2005年11月3日）

「昨日、久しぶりに衛星電話で家族と話をした。ちょうど給料日であったので女房も御機嫌かなと思っていたが、『もっと入ってるのかと思った。』との発言に、思わず机で頭を打ってしまった」（2006年2月18日）

こんなことが書かれていた。カレンダーの写真を見て、「俺はこの子がかわいいと思うけど、お前達はどう思う？」（2006年1月13日）などと、あたかも、修学旅行の男子部屋のような会話も繰り広げられていたのだった。どんな紛争地だって24時間戦争をしているわけではないのだから、こういう雑談がこぼれてくるのは当然ではあるのだが、テレビの映像が作り上げるイメージは、こういう日常を削ってしまう。今でこそ、イメージが浮かんだら、そのイメージの実態を確かめる作業を行うが、イメージのまま膨らませる行為を繰り返した。イメージが固形物のように記憶に定着する。

色ならば、灰色。空気ならば、土埃。実際に土埃が舞っていたし、手は汚れていた。テレビの中の雰囲気も灰色っぽかった。戦後間もない映像ってもちろんモノクロで、それらはカラー映像に慣れた自分にはもれなく土埃っぽく映るのだが、かつて、その頃を生きていた祖母に、この頃のことってカラーで記憶されているのかと聞くと、ああ、そういえば、いつの間にかカラーではなくモノクロになっちゃったな、と言っていた。色をつける、という行為ではなく、確かめるようにして色を失っていくっていうのはどんな体験だったんだろうか。「なんとなくそれなりに覚えている時期」というのは人それぞれだと思うのだが、その時期のイメージというのは、いつか更新されるものなのだろうか。久しぶりにその辺りの記憶を追いかけてみても、ひたすら、灰色で土埃が舞っている。絶望的な出来事が自分にふりかかったわけではない。しかし、この色彩や触感がデフォルトになっている。どこに原因があるのだろう。ここら辺でひとつ、泥まみれになってみようか。そうすれば何かを思い出すのかもしれないが、泥まみれになる機会は一向に訪れない。大人になっても盛んにスポーツをしているタイプの人って、学生時代のイヤな記憶が薄れている傾向がある、という図太い偏見があるが、身体を使うことって、もしかして、記憶を塗り替えてしまう効能も持っているのではないか。根拠はまったくないが、覆す根拠も見当たらない。ＳＴＡＹ ＨＯＭＥは偏見が強化される。

まだずっと未来を見ている

「よく聞くエピソード　思春期にさしかかる直前の子ども編」の定番といえば、「死んだらどうなるんだろうと考え始めたら怖くなってしまいました」と「風邪ひいて学校休んだんだけどテレビをたくさん見れるしなんだか楽しくなってきたぞ」である。自分が初めて直面した「死」は、代わり映えのしない、よくある話。スーパーで安売りされていた５００円のカブトムシを買ってもらったら早々に死んでしまった。購入した時点で晩年だったに違いないカブトムシの死を、親にバレないように数日間隠し続けた。隠すというか、何食わぬ顔で餌を与え続けることによって死を隠蔽した。親から渡されるリンゴやキュウリをカブトムシの死体の横に置き、翌日、あたかも積極的に食べたかのように自分の爪先でいくつか痕をつけ、餌の上に少量の土をかけ、三角コーナーに捨てておく。親は気づいていたはずだが、自白するまでにそれなりの時間を要した。生きていたものが動かなくなるという経験は、多くの人がそうであるように、やはりショッキングだった。数日間、自分1人でその死を背負っていた。カブトムシを折り込みチラシにやわらかく包んで捨てる。思いっきり押したら手元に感じてしまうであろう潰れる感触を発生させないようにゴミ箱に持っていった。

今では考えられないが、クラスの連絡網とは別に、自宅住所や親の名前が記された一覧表が学校から配付されており、その親の欄に一人しか記載のない同級生を見つけると、どこからともなく詮索が始まった。とても残酷な詮索だが、そういうことへの興味を抑えられなかった。ある時、「もう一緒じゃない」ではなく、「死んだんだ」と答えた同級生がいて、声の届く範囲の全員がわかりやすく固まった。10歳くらいだと「弟・妹ができた」と喜んでいる人もいたほどだから、「死んだ」には一切の抗体がなく、空気が重たくなる。死んだという経験がよくわからないのに、でも、もう経験した人が近くにいた。新しいクラスになるたびに、その一覧表をチェックするようになった。どうしていないのかなんて聞いてはいけない、とさすがにわかっていたのだが、「どうしていないのか」と考えるのを止められなかった。前のめりになって考えていたのだから、残酷な生き物だった。

どうやら死というのは、そんなに遠いものではないらしい。すぐに死んだカブトムシのように、もしかしたら死ってものは近くに転がっているのかもしれない、急にやってくるものなのかもしれない。「風邪ひいて学校休んだんだけどテレビをたくさん見れるしなんだか楽しくなってきた」けれど、夕方になってさすがにつまんなくなってきた頃、パートから帰ってこない母親を待ちながら、天井の模様を眺めて、死んだらどうなるんだろう、と考えていた。親も兄も友達もすぐに死んじゃうかもしれない。多くの人が同じような感覚を持っていたようだが、細かに共有するわけでもない。おおよそあの時期に経験する理由が解明されているか知らないが、同じような不安感を抱え持っていたとして、その受け止め方、保ち方、解消の仕方、忘れ方がそれぞれ異なっているのだとしたら、それは、人間の個性とやらの形成にそれなりの影響を与えているかもしれない。いい具合の夕焼けが、少し目を離した隙にすっかり暗くなっていた頃の寂しさをハッキリと思い出せる。同じような状況に置かれた時に思い出すわけではない。唐突に蘇るのだ。蘇って、いまだにあたふたする。そのうち死ぬのか。

１９９1年11月にスタートした宮澤喜一政権は「生活大国5か年計画　地球社会との共存をめざして」と題した経済運営の方針を定めている。バブルが崩壊した直後、現実から目を逸らすかのような大げさなタイトルがなんだか恥ずかしい。「生活大国構想」と呼ばれた書面には、こんな文言があった。

「世界経済の相互依存、グローバル化が進展するとともに、国境を越えた地球的規模の課題が顕在化している中で、我が国の国際的地位の上昇に伴い、地球社会における役割と責任も増大している。これらの課題の解決のためには、地球社会を全体としてとらえ、かけがえのない地球の上で我々がどう行動するかについて考えるという視点、つまり地球的規模で考える視点を我が国は持たなくてはならない」

それっぽい言葉が並んでいる。いや、それっぽい言葉だけが並んでいる。普遍性はある。普遍性しかない、とも言える。こんな文言もある。

「国民の誰もが自らの能力に応じて社会参加し、社会に貢献できるようにするための環境整備が重要である。特に、女性が十分に社会で活躍できるよう、これまでの男女の固定的な役割分担意識を始め社会の制度、慣行、慣習等を見直し、男女共同参画型の社会を実現することが必要である。また、高齢者や障害者が、就業機会の整備などを通じ社会参加が適切に保障され、生きがいを持って暮らせる社会を作り上げていくことも重要である。さらに外国人にも住みやすい環境の整備が必要である」

いつの時代も、こういう文章をあちこちで見かける。見かけた上で、見かけ倒しだな、といつも思う。メッセージを投じているほうも、受け取るほうも、こういった宣言が全て達成されるとは思っていない。だとしたら、こんな文章なんて投じられなくていいのではないかと吐き捨てたくもなる。この感じがひたすら続いている。提言する、実行しようとする、なかなかうまくいかない、簡単に実行できるものではない、それでも気持ちを持っておくことが大切ではないか、そうだよ、いいこと言うね、いやいや、それほどでも、ではではまた次回。この繰り返しによって、政治と市民の信頼関係が削られていく。とりあえず言ってみただけ、という緩慢な姿勢が、賛意も反意も遠ざける。

希望的観測が続くのは、今までずっと、現実から目を逸らし続けてきた証でもある。歴史を見習い、「そんなことはない」と希望的観測で逃げる。名古屋市に住む100歳の双子の老人、成田きんさんと蟹江ぎんさんが注目され、ありとあらゆるメディアに引っ張りだこになっていた。とぼけたことを言うきんさんと、時に舌鋒鋭いぎんさんのバランスが巧妙で、マイクを向ければ何がしかトリッキーなことが起きるというコストパフォーマンス（平成時代に広まった嫌な言葉の代表格）の良さが受けた。彼女たちの発言ならば全てを肯定してしまおうという状態は、寛容だったのか、不寛容だったのか。貴花田と宮沢りえの婚約について、「はだかのおつきあい」と述べた二人には批評眼とコピーセンスがあったが、表層で消費した感は否めない。

グローバル、つまり、宮澤政権的に言えば「地球的規模で考える視点」が必要だとの指摘を今も方々で見る。地政学なる名を冠した書籍をめくると、この人は事情通だと思われたい人なのかな、と大雑把な評価を下してしまいがちなのだが、「世の中を広い枠組みで見ています」という宣言は、目の前にある未知のウイルスに怯え、近しい人とであっても一定の距離をとらなければならない日々の中で、自己主張として使われやすくなってきた。馴化を得意技とする私たちは、多くの人がしんどい思いをしているのであれば、みんなで等しくしんどい思いをしようよ、との方向でまとまろうとする。国会議員が歳費をカットすると言い始めると、当然だと言う。金に見合った仕事をしろ、ではなく、金を減らせという。身を切る改革なんてスローガンが受けたりする。そして、グローバルな目線を使われる。せせこましくなっていくときに、自分はそうはならないと主張するのだ。「ひとまず言っておくといい感じに思われること」って、もしかして自分が生まれてからここに至るまで変わっていないのだろうか。

自分に不安感があり、目の前に閉塞感が漂っていると、人はどうしても未来に逃げる。建設的な未来というわけではなく、大雑把な未来。書店には「２０３０年」や「２０５０年」のような、だいぶ先のことを見通すことのできている自分をアピールする書籍が並んでいる。その書き手の一人がニュース番組のコメンテーターとして出演している様子を見たら、要約すると「ならば、変えていけばいい」とばかり言っていた。それは確かにそうだ。いつだって「変えていけばいい」のだ。しかし、「変えていけばいい」とずっと言っている感じは変えていかなくていいのだろうか。どんな問題が目の前に来ても、「変えていけばいい」を使うのはいささか都合が良すぎやしないか。

借金も持病も行列も睡魔も暴食も、多くの人にとってはどうにかしたいもの。そこに向かって「変えていけばいい」と投げかけるのは無慈悲。では、未来予測はどうか。ちょっとした過去を振り返る作業の中で掘り起こされる「生活大国5か年計画」的なものの変わらなさによって明らかになってしまう。あれだって、やっぱり、「変えていけばいい」「私が変える」と言っていた。やがて2030年になり、同じ内容で「2040年」の本が出せるとは思わないが、同じように未来を見据えることはできるはず。自分があいうものをちっとも信じないのは、未来予測は昔から続く伝統芸だからである。伝統芸なのだから、いつもの伝統芸をやっています、と言えばいいのに、自分だけが知っていますという顔には恥じらいがない。だから馴染めない。馴染みたくない。

新型コロナの恐ろしさは、自分とはそれなりに距離があったはずの「死」が、いきなり近づいてきたところにある。まだ死ぬはずないという想定が、もしかしたら死ぬかもしれないという想定に切り替わった。自分だけではなく、近しい人もそう。あの人が死ぬかもしれない。テレビの中にいた志村けんと岡江久美子がコロナで亡くなってしまった。唐突に報じられたその事実を、テレビカメラの取材に応じる「街の声」が、何に対しても「嘘でしょ、信じられない」と答えるのと同じテンションで受け止めた。想定している命の距離が、その距離のまま保てなくなる恐ろしさ。鼻にチューブを入れて、厳しい状況にあると伝える映像をたくさん見た。無事治った人もいれば、治らなかった人もいるのだろう。いきなり近づいてきた「死ぬかもしれない」にやっぱり弱い。思い返してみれば、自分が10歳くらいだった頃のほうが「死ぬかもしれない」という意識が強く、大人になるにつれ、「まだ死なないのではないか」と思うようになったというのは奇妙な話ではある。

どんなことが起きようとも、未来を見つめてみるという伝統芸があたかも斬新であるかのように受け取られている様子を見て、本書のように「近過去」を問う視点を発見したのはケガの功名だったが、その「ケガ」の輪郭は、まだ明確に見えているわけではない。早速未来を見ている様子を見て、これはやっぱり信頼できないなと思うのだが、これからもどこまでも信頼されるのだろうか。この文章を2030年くらいに読み返したい。いやはや、まったく同じ、と呆れるかもしれない。私はこの先を知っている、私のほうがよく知っている、私は前もって知っていた、そればかりが繰り返されている。「かけがえのない地球の上で我々がどう行動するかについて考えるという視点」は、そういう個人に活用されやすくなっている。

遠くで起きていた

あの時どうして、松永成立はボールを目で追いかけるだけで、もっと体を動かさなかったのだろうと未だに根に持っているのは、本当に根に持っているわけではなく、そうやって言うと人が集まってきたからである。やたらと過去に執着する性格に仕上がったタイミングが見つかるわけではないが、「あいつ、また言ってるよ」と煙たがられながらも若干の興味を向けられる快楽を、あの時、初めて感じたのかもしれない。

1993年、「ドーハの悲劇」が起きた。初のサッカーW杯出場をかけたアジア最終予選、日本代表は、対イラク戦の勝利目前のロスタイム、同点ゴールを決められてしまう。ショートコーナーからのセンタリング、ヘディングしたボールがゴール左隅に向かっていく球を、ゴールキーパー・松永成立は軌道を目で追いかけるだけで、ボールに食らいつこうとしなかった。もう勝てるに決まっているという過信がそうさせたのか、体力が残っていなかったのかは知らない。どうして松永成立は……と吹聴しているときに、「そもそも飛び込んだところで届かなかったと思う」と異論を唱えてきた同級生がいて、周囲の関心はそっちに向けられた。勢いを戻すために、いや、届いたでしょうと返した。論戦が生じた。

小学5年生のくせに、なぜそんなに評論家然としていたかといえば、この年に始まったJリーグへの憧れが強く、一丁前にサッカーを語ることによって仲間内の信頼を得る、という仕組みが出来上がっていたから。自分と異なる意見を受け止めるって、大人になってもできるものではないし、あの時のほうが、他人の意見を広く受け止めていたかもしれない。松永成立がボールを見送った件について、各人が論を展開していた。僕はこう思う、おまえはどう思う。見解の相違はあっても、仲間割れにはならなかった。

小学生の頃ってやたらと時間があったはずで、学校が終わった後って一体何をして過ごしていたのだろう。夕方から夜までの時間の過ごし方のサンプルを、いかにも子どもらしい形で提示することができない。自分が何をしていたかといえば、ワイドショーを見ていた。伝える側の邪念と伝えられる側の落ち度を比べつつ、どっちもどっちだなと落ち着き払っていたのだから、嫌な小学生である。世界基督教統一神霊協会（当時）、いわゆる統一教会が行った合同結婚式に、日本の芸能人やスポーツ選手が参加し、そのうちの一人が失踪、やがて発見され、これまでマインドコントロールされていたんですと告白していた。そういう言葉は当然、校内で流行る。詳しい意味がわからなくても、そこかしこで使い出すのが流行語である。

流行るというか、流行らせたい言葉を携えて学校にやってくる。話し相手がなにかしら間違ったことを言うだけで「マインドコントロール！」と叫んでみる。それぞれ時期は異なるが、オウム真理教が一連の事件を起こした時には、過去の映像としてワイドショーなどで流されていた「しょーこー、しょーこー」の歌が教室をこだましたし、「ライフスペース」なる団体が行っていた手で頭を叩く「シャクティパット」を真似する人も多発した。あやしいものを定期的に目にしていた。あやしいものを見せられたときには、まず、その対象を茶化す。世の中に対する態度を、怪しいとされる組織を伝えるメディアの態度から知った。合同結婚式に出た人たちを、テレビカメラが必死に追いかけ回していた。自分たちが正しい、あなたが間違っている、と比較する様、その「自分たち」にはテレビの前の私たちも入っていて、今よりも数倍重いカメラを担いで走り回る様子にそれなりの正義を感じていた。

長い間、女性ファッション誌を作ってきた編集者から、読者の変容について聞いた。読者が離れた、っていう感覚よりも、読者が近すぎる、素直すぎるとの感覚があるそう。一体どういうことなのか。雑誌を作る人間にとって、読者が近くにいるのは、好ましい状態に思える。読者層がちっとも見えないと悩む雑誌は多いし、そういう雑誌は、大抵、そのうち無くなっていく。近くて何が問題なのだろう。

編集者が例示してくれた。雑誌内のインタビューで、人気の女性俳優が日々の葛藤を吐露する。大した話ではない。どこかで聞いたことのある、ありがちな話だ。「難しい役どころのドラマが続き、自分を見失いそうになったこともあった。でも、大好きなお芝居にひとつひとつ熱心に取り組むことによって、自分を取り戻した」とある。正直、その人でなくても構わないようなインタビューだが、こういった吐露に対して、読者が次々と「私にも同じような経験があります。だから○○さんに共感できます」と感想を送ってくるのだという。必ずしも、その俳優を、圧倒的に距離のある別世界の人として憧れる必要もないのだが、かといって、同じ目線であることに驚くのだそう。あくまでも自分の枠組みに入れて考える。不特定多数から見られる有名人に対して、特別な眼差しを向けながらも、自分のフィールドで理解しようとする。特別な存在だと認識されている人に対し、自分にも同じような経験があるとする。見る、見られるの体得の仕方が根本から変わってきたのだろうか。

見る、見られるという感覚が時代によって異なることくらいわかる。「双方向性」という言葉を見かけるといまだに急いで心を閉ざし、その上で改めて開くかどうかを考えるが、なぜかといえば、それは大抵の場合、片方に有利な仕組みになっており、いずれかの優位性を隠すようにその言葉が使われているから。

子どもという存在が、いかにして受動的な生き物から能動的な生き物に切り替わっていくのかを知らない。見る、見られるというのも、おそらく似たような性質を持っているはずで、流れてくるものを受け取っていただけの状態を、今、目の前にあるものはどういうものなのかと主体的に考え始めるのはいつ頃なのだろう。

新興宗教（と一括りにするのは問題なのだろうが）のトリッキーさを連日のように眺めていた頃、そこから流れてくる歌やダンスやジェスチャーなどをずっと真似していた。真似しながら笑い転げていた。先生や親からも注意されたはずだが、その注意は弱く、だからこそ悪ふざけが続いた。テレビの中にいる人と、テレビの外にいる自分、そこには明確な差があった。親にとっては、こことあそこはさすがに違うと確信できる差で、だから、テレビの中の振る舞いを真似ても、すぐには叱らなかったのだろう。

小学2年生くらいだったか、4つ上の兄がNHK教育でやっていた理科の番組にちょっとだけ映ることになった。実習授業で、茶畑の収穫を手伝うシーンだったはずだが、マイクを向けられて一言二言述べた兄は、しばらく小学校じゅうでチヤホヤされたという。兄には同時期にもう一つの「出演歴」があり、市が作った冊子のカラーページで特集されていた、「駅前の様子がこんなに変わりました」と知らせる写真に偶然写り込んでいたのだ。スイミングスクールに向かう途中、直射日光に照らされ、顔をしかめていた。別のクラスの同級生が、これが武田の兄なのかと確かめにきた。出る、とか、載る、というのは、それくらい大層なことだったのである。

　松永成立がボールを見逃した「ドーハの悲劇」の映像は、繰り返しニュースで流されていたが、かといって、学校で、その動画をもとに議論をしたわけではない。「松永はとれた！」と「松永はとれなかった！」の双方に分かれたところで、そこに具体的な素材があるわけではない。検証しようがない。ただ、互いに言ってみただけなのだ。色々なことがどこかで起きていて、それを懸命に近づけながら話していた。兄がテレビに映るだけで、市が作った冊子に載るだけで、ある一定の興奮が巻き起こった。学校に移動劇団がやってきた日には、給食用の巾着袋を持ってサインをせがみにいった。今、そういうこと、つまり、遠くにいる人が近くにやってきたと感じる興奮は、どの程度残っているだろうか。

　テレビ番組で、入学式や卒業式に芸能人がサプライズで登場するという企画が頻繁に行われている。学校の紹介ＶＴＲを撮るなどのウソの理由で、複数台のカメラを設置しておき、校長先生などが「今日は、特別に、この方に来ていただきました！」と宣言する。舞台袖から、アイドルや人気俳優や歌手が飛び出してくる。黄色い声が飛び交い、生徒同士で抱き合ったりしている。興奮のあまり、一人で涙を流している人もいる。その時、カメラのすみっこに、まったく興味なさそうにしている生徒が必ず何人か映る。なんでみんな騒いでるの、バカみたいと冷たい目をしている。歓声と歓声の間で沈黙している。あれにホッとする。動じない彼や彼女の心中は、「遠い世界からやってきた人に興奮しない」なのだろうか。それとも、「そう変わらない世界にいる人なのだから興奮する必要もない」なのだろうか。

今では、どんな世界であっても、その距離を縮めることが容易になった。あちらから積極的に距離を縮めてくるからだ。自分たちが暮らしている世界と、まったくかけ離れたところに憧れの世界がある、という環境把握が希薄になっている。この希薄さは、思考の幅にも影響しているのではないか。あっという間に距離を詰められる社会と、そうではなかった社会、その差はどこにどうやって生まれるのだろう。不便があれこれ便利になっていく過程で育ったはずの自分たちは、今、マスメディアを疑いやすくなっているが、同時に、すっかり信じた状態で育った最後の世代でもある。このあたりの変遷を体系化するのって難しい。そんなの自分で思い出せよ、という話なのだが、個人の記憶は体系的ではない。突発的な興奮ばかりが頭に残っている。それを結び付けても、どうしてもそれがあの頃の感覚だったとは思えない。

近くで起きていた

ＴＢＳラジオ『大沢悠里のゆうゆうワイド　土曜日版』にゲスト出演した。『大沢悠里のゆうゆうワイド』は、１９８６年から２０１６年まで続いた、平日ワイドの長寿番組。それ以降は土曜日のみの放送となり、２０２２年３月で終了した。その番組が始まる前、１９７９年から83年までは『大沢悠里ののんびりワイド』が放送されており、一日中、ＴＢＳラジオが流れていた我が家だったので、お腹の中でも聴いてましたから、と言ってもウソではなかった。でも、このところ、胎内記憶をイイ話として商売にする人もいるので、出しそうになった言葉をしまい込み、表情を戻す。

どんなジャンルでも、「同じことをずっとやっている」という状態に強い憧れがある。ずっとやっていることの何がすごいって、だって、ずっとやっているんだから、と頭の中がたちまち堂々巡りになるのが好きだ。ずっとやると、昔と今をしっかり連結しながら考えることができるのだろうし、それがそのまま説得力になる。ずっとやる、って、ノウハウはない。ずっとやるしかない。同じことをずっとやっている人は、決まりの文句のように「気づいたら○年ですよ」と言う。大沢に「いや実は子どもの頃から……」と伝えると、やっぱりそのように返ってきた。大沢は電車でラジオ局に通い続けた。なぜですかと問うと、市井の生活が見えなくなるから、とのこと。ラジオというものは、ずっと聴いているものではなく、聴こうと思った時に耳を傾けて聴くものだという。たとえば畑仕事している時に、気になる話題があれば、その時にだけ耳を向ける。そういう付き合い方をしてもらうためには、生活というものが見えていなければならない。生活をわからない人がいきなり生活を考えると、布マスクを配り始めたりするんでしょうか、などと返すと、体が少しだけ前のめりになるのがわかった。

実家では、朝起きると、テレビを見ず、ラジオを聴くと決まっていた。それによって絶え間なく雑談が続いたわけでもないのだが、センセーショナルではないことまでセンセーショナルに伝えてくるテレビの癖を疑う性格に仕上がったのは、まずはラジオで考えるという環境にあったからだろう。大沢悠里の番組は平日午前8時半から始まった。通常は学校に行っている時間なのだが、風邪で学校を休んだ日、2階にある自分の部屋で寝ていると、母親が階段を登ってくる音がする。母親はポケットラジオを小脇に抱えており、大沢悠里の声も一緒に近づいてくる。隣にある兄の部屋を通ってベランダに出て洗濯物を干していたので、今度は外から大沢悠里の声が聴こえてくる。東京郊外、多摩湖にほど近い家の外から響く虫の声や鳥のさえずりに、大沢悠里の声が小さく混じる。ちょうど小学校高学年の頃、そういう日が月に1回くらいはあって、今思えば、仮病と病気の境目というか、なんだかあんまり行きたくない気持ちに体調そのものが応じるような日があった。そういう日は高熱ではなく微熱なので、ベランダの奥から聴こえてくる声を聴き分けようとする余裕があった。

大沢悠里の目の前に座り、その声を聴くと、一気に情景が浮かび上がってくる。時折、隣の老夫婦の家からも同じラジオが流れてきたこと、やがて、その女性のほうが入院して、そのうち施設に入ったこと。その経緯を知る前に、大きな庭の手入れが雑になった様子を見て異変を感じていたことなどを五月雨式に思い出す。声は情景をクリアに戻す力がある。たとえばこの本に記されている記憶なんていうのも一部分にすぎず、事細かに書き起こそうと踏ん張ればとてつもない文字数になるはず。記憶は常に都合よくできており、都合の悪い記憶については、覚えていられる程度の「都合の悪い記憶」として保存されている。都合の悪い記憶って、実は、都合が良い記憶ばかり。脳内のアーカイブは、今、この時点に合わせて選ばれている。黒歴史、なる言い方があるが、語られる黒歴史というものは、往々にして真っ黒ではない。異なる色味が混じっているからこそ語れる。真っ黒なままにしておきたいものは自分の記憶から消す作業を繰り返す。人は過去を振り返る時、あらかじめ振り返る領域を設定しているのをなかなか認めようとしない。

音や声には、その隠蔽を突破する力がある。昭和の映像アーカイブを見るより、当時のヒット曲を耳にするほうが記憶が刺激される。奥にしまっておいたはずの記憶がいきなり目の前に運ばれてくる。ラジカセの前で聴いた音楽と、どこかで一方的に流れていた音と、ラジオのように耳で手繰り寄せるように聴いていた音では、記憶への浸透度が異なるが、それぞれ一気に運ばれてくる。大沢の言う、生活を知る、という姿勢は、どんどんリスナーを増やしたい、などといったものではなく、時折聴いてもらうために何が必要か、だったのだろう。長い時間をかけて、生活に散らばる耳をたぐりよせてきた。ずっとやっている、という尊さと強度を改めて知る。どんどん切り替わっていく社会に対抗するのに、ずっとやっている、は強い。わけのわからないコンサルタントは、これまで続けてきたものを見つけて、もう変えませんかと迫るのを好むが、ずっとやる、という仕事は作れない。

宮本常一が『忘れられた日本人』の中で、話を聞いてきた多くの人々は文字を知らなかったが、文字を知らない人たちの伝承は、耳から聞いたことをそのまま伝えようとする意志が強いもので、少しでも変化させようとするものは伝承者にはならず、結果的に、信じられるものだけが伝承されていった、と書いていた。文字を読んで知識を得ると、それぞれの知識が伝承に混入してしまう。大沢悠里の声を目の前で聴いた途端、情景が具体的に、それこそ100％にほど近い状態で再現された時に、それを思い出した。あの再現率はまったく珍しかった。ラジオ番組によっては、束のような台本が用意され、指示されるままに進行していくものもあるが、大沢の手元にはごく簡素な進行表だけが用意されており、あとは、こっちを見ながら、この人の話をどうやって掘り起こそうかと企んでいた。

自分の子どもに「悪魔」と命名した父親がいた。話題になったのは、1994年のことだから、ちょうど自分が、大沢悠里の声をベッドで聴いていた頃にあたる。その父親が住んでいたのは自分の住んでいた東大和市からそう遠くない昭島（あきしま）市で、週末のたびに昭島駅近くにある大きなショッピングモールに出かけていたので、ああ、このあたりのどこかに「悪魔ちゃん」がいるんだな、と車中で声に出すと微妙な空気に包まれた。悪魔と名付けて昭島市役所に提出、一旦は受理されたものの、将来、子どもが差別を受けると予想されるなどと、いくつかの理由で不適当とされ、市は父親を指導した。しかし、父親は戸籍法上の問題はないと主張し、東京家裁八王子支部に不服を申し立てている。その時の父親の主張は「興味を持ってくれる人が多い分だけ、たくさんの人に出会える」というもの。この文言は今になって調べ直したものだが、当時、この父の主張をニュースで見かけ、これはこれでありなのではないか、というような内容を親に言ったら、強い口調で反論された。一度、出生届を受理したにもかかわらず、法定手続きを経ずに戸籍の名前を消したことが違法と判断され、「悪魔」での戸籍登載を命じる判決が出たが、抗告した市の対応を受け、父親は改名に応じ、最終的には「亜駆」という名前に落ち着いたのだった。今、その父は、そして、名付けられた子は、どこでどのような暮らしをしているのだろう。

『家なき子』が大ヒットし、安達祐実扮する相沢すずが「同情するなら金をくれ」と叫んでいた。自分と1歳しか年齢が変わらない安達が、大人顔負けの演技で大人を圧倒していた。「同情するなら金をくれ」だけではなく、「もう十分に生きてきた上に、まだ金もってるなんてずうずうしいから、取ってやったんだ」などの強い言葉も頭にいくつか記憶されている。映像はさほど記憶にない。ここでも音が記憶されている。目よりも耳の記憶が厚いのは、そういう家に育ったからなのだろうか。記憶が数珠つなぎのように思い出される。流れてくる音と自分の距離をその都度計測し、必要か不必要かを取捨選択する癖がついていたからなのか。だから、残されている音が強いつながりを持っているのか。耳は、情報を自分で手繰り寄せる。目は、情報を一方的に浴びる。この差ってけっこう大きい。

ベッドの上で大沢悠里の声を聴き、その声が一旦近づき、ベランダの遠くで小さくなっていく。人生というのはどうやら1回きりらしいので、映像を優先して記憶する人生を知らないのだが、ひとまず自分は音を優先的に記憶している。しょっちゅうワイドショーを見ていたくせに、「悪魔」の父親にしても、記者会見の映像よりも、どこかぶっきらぼうに対応する声を覚えている。記憶に蘇るのがおおよそ音だ。洗濯物を干し、隣の部屋に戻ってくると、少しだけ大沢悠里の声が大きくなった。階段を降りていけば、また静かになって、やかましい虫の鳴き声が聞こえて、早く昼ごはんの時間にならないかな、昼ごはんはなんだろうなと思った。部屋にテレビはなかったから、ラジカセのラジオで続きを聴きながら、送られてくるリスナーのメッセージに、なんだか色々と大変そうだけど、それぞれ頑張ってほしいな、なんて、老成したことを思っていた。自分は半ばズル休みをしているというのに。記憶している声の力を知る。声って近い。その近さをまだ覚えているのだから、やっぱり近い。

坂の上の家

自分にとっての、大きな経験について書く。目の前が暗転した最初の経験だ。

小学生の頃、仮病と病気の境目くらいの体調の日があったと前に書いた。小学校高学年、そして中学生になっても、親の「近づき」は続いたわけだが、一丁前に自我なんてのが芽生えてくると、特に部屋で何をしているわけではなくても、音が近づいてくるのを気にするようになる。足音の特徴を見事に聞き分ける。焦っているのか、ゆったりしているのか、そもそもこっちに立ち寄らないのか、もう実家を離れて20年近く経つが、その足音の種別を覚えている。2階に到着して3歩も歩けば、その足音から、テンションと目的が透けて見えた。

ある朝、目を覚ましてから、ベッドの上でボーッと天井を見ていたら、とんでもない勢いで母親が階段をあがってくる音がする。これまでにない速度である。いつもがスタ、スタ、スタという音ならば、スタタタタといった感じだろうか。そのままの勢いでドアを開け、死んじゃった死んじゃった、カズちゃんが死んじゃった、と泣き叫んでいる。とんでもない勢いに、こちらは反応できない。平静を装うしかない。ベッドから起き上がりもせず、「あっ、そう……」と返す。とんでもない勢いで戻っていった。階下でも焦りが続いている。

急な坂の途中に自分の家があり、坂を上りきったところに同級生の彼の家があった。小学校に向かう方向とは逆なのだが、彼が自分のところに寄っていくのではなく、自分が彼の家まで出向き、一緒に学校へ通っていた。だから、仮病と病気の境目くらいの体調で休んだ日には、母親が彼の家に電話をし、彼は一人で坂道を駆け下りていった。ここでも音に敏感な自分は、駆け下りる音を察知してカーテンの隙間から覗く。心配そうにこっちのほうを見てくれるので、慌てて隠れる。積極的に学校に行きたいほどの体調でもない、くらいの理由で休んでいたので引け目があった。少年野球チームのエースで4番、小学生なのに、ませた女の子からバレンタインチョコをいくつも貰う、少女漫画に出てくる男の子のような彼だった。家に行くと、テレビ台の横にCD棚があって、いっつも、その棚に「なんかいいのないの？」と近づいていき、「なんだ、クラシックばっかじゃん」と言っては、それもう何度も言ってるよ、親が通販で買ったやつだよ、と苦笑いされた。父ちゃんの部屋にあった、と彼から見せてもらった夕刊紙には、エロい写真が載っているページがあり、それはもしかしたら自分にとって、初めてまじまじと見るその手の写真だったかもしれない。風俗店の広告だったからか、胸はとってもいい加減なハートマークで隠されていたが、とてつもない背徳感があった。これが背徳感であるという認識さえなかったはず。すでに父ちゃんが読み終えた後だったから、夕刊紙はしわくちゃの一歩手前くらいになっていたのだが、自分たちが開いたことがバレないように、できる限り元の状態に戻す努力を重ねていた。その努力によってむしろバレたかもしれない。カモフラージュしている時間が、今、見てしまったものを頭の中でどう受け止めるのか、悩む時間にもなった。

バレンタインチョコをいくつも貰い、裸の写真を知っている彼、どうやら何歩か先の世界を歩いているらしいと感じる事態が続くと、勝手なもので苦手意識にも変わっていく。それぞれが別の中学校へ進むと、互いになるべく会話を交わさないように心がけているのがわかるようになる。自分は自転車で20分ほどの私立中学に通っていた。坂を上り、つまり、彼の家の前を通ったほうが早いくせに、わざわざ坂を下り、別の道から坂を上がるようになった。会いたくなかったのだ。時たますれ違うと「おう！」や「元気？」と声をかける。あっちからも「おう！」や「元気？」が返ってきた。それ以上は続かない。共通の話題よりも共通していない話題が多くなっていた。あの日、駆け込んできた母親が、死んじゃったと叫んだ後、自分が何を考えたかといえば、これで、わざわざ少しだけ坂を下ってから学校に行かなくても大丈夫になるな、である。どうしてそんな非道な反応をしたのだろう。いや、いきなりそんなことを考えるのはさすがに非道も非道だよなと、冷静に考えたこともまた、いまだに思い出せる。

隣町で野球をやった帰り道、自転車に乗っていたところを、トラックに轢かれて死んだ。赤信号を突っ切ろうとしたトラックに撥ね飛ばされたと後で聞いた。死んだ実感が湧かないよう、どうにかして自分の心の乱れを無視する。それこそ、朝から流れているラジオをいつものように聴き、ごく普通の一日だと言い聞かせる。中学校に行けば彼を知る人は誰もいないから、誰ともその話題を持ち出さずに一日を過ごす。気持ちを無理やり整えた状態で家に帰り、テレビをつける。「最後にやっぱり顔を見ておこう」と家族会議の結論が出て、坂を上り、彼の家に行く。通販で買ったクラシックCDが並んでいたあたりに彼が横たわっていて、その顔も、ほんとうに事細かに覚えているのだけれど、それは書きたくないので書かない。顔を見てもまだ心の制御が続いていた。その精一杯の制御に勘付いたのか、あんたは行かなくていいと、翌日、母親は一人で葬式へ出かけていった。

顔を見て帰ってきた後、テレビをつけると、音楽番組『HEY!HEY!HEY! MUSIC CHAMP』をやっていた。まだまだ若かったダウンタウンが、大物ミュージシャン相手に、果敢に突っ込んでいた。果敢な攻めをギリギリ許容しているミュージシャンを見ながら、自分は必要以上に笑い転げていた。いつもは出さない「ワハハ」を出した。そのころのバラエティ番組は、今よりもスタッフの笑い声が大きく、時たま目にするバラエティ番組で流れる笑い声を真似するようにツッコミに反応した。親はその真似を嫌がっていたはずだが、その日ばかりは過剰な笑いが放置された。今、街ゆく大学生の会話を盗み聞きすると、あたかもトーク番組の司会者とひな壇芸人のやり取りのようで気色悪いのだが、仲睦まじく見える中にもおそらく最適な振る舞いが模索されていて、その状態で時間をやり過ごしているだけなのかもしれない。テレビでの振る舞いを真似るのって、適当にこなす時に便利なのだろう。このところ、ダウンタウンの松本人志は、すっかり、権力者に理解を示す権力者になってしまい、何年か前、自分の番組に当時の総理大臣を招いた際には、直立不動で出迎えていた。踏ん反り返って迎えるべき、とは思わないが、いつからピシッと立ち上がるようになったのだろうか、なんて考えると、どこかで変化したことだけはわかる。果敢に攻める人ではなくなってしまった。自分を守り、守ってくれる人とずっと戯れているように見える。

彼が死んで1ヵ月ほどすると、一人っ子だった彼を失った両親は、遠く離れた実家に帰ることになり、引越間近の日、彼の友達が彼の家に集まった。もうそんなに会うことはなくなっていた友達ばかりだったが、毎日一緒に通っていた自分を特別に思ってくれていた母親が感極まって「武田君はカズちゃんの分まで生きてね」と言った。なんと重たいことを言うのだろう。でも、重い発言をしっかりとぶつけてくれた。その重たさと感謝をいつか伝えたいと思っていたが、最近亡くなったと人づてに聞いた。

引っ越していった彼の家には、間も無く新しい家族が越してきて、小さな子どもが二人、はしゃぎまわっていた。今と変わらず、意地が悪かったので、この人たちは、たった2ヵ月ほど前、死んだ彼がリビングに寝かされていたことを知っているのかな、なんて思いながら通り過ぎていた。彼が死んでから坂を上って中学校に通い始めたこちらは、坂の上の家で幸せそうにしている様子を見るのがなかなかしんどくなった。その子どもが騒ぎながら、家の前の坂をドタバタ走っていくのも嫌になる。そのくせ、家の中の様子が気になり、開けっ放しになっていた玄関から中を覗くと、いつも彼がバットと野球帽を立て掛けていた玄関先に、ファンシーグッズがキレイに並べられていた。それがどうにも腹立たしくて、坂の上の家がすっかり嫌いになった。理不尽な話だが、どうにかして整える話でもない。玄関のすぐ脇に階段があって、のぼりきった横にお父さんの部屋があり、そこに例の夕刊紙が積み上がっていたのだった。

自分が彼の話をしたがらないのを察したのか、親は彼の話をしなくなった。時たま祖母が家にやってきて、ああ、そういえば死んじゃったね、と言うと、その都度、最低限の話以外に広がらないように努めていた。死んだ、と結論が出ている話なのに、なんで隠そうとするのだろうと思ったが、彼の死を安定させない、定着させない、というハウスルールは、正直ありがたかった。頻繁に市内の図書館に通っていたが、「よく読まれている本」と題したコーナーがあり、そこに、市民たちの手垢がこびりついた松本人志『遺書』が置かれていた。彼を思い出させる存在になっていた人の本を借りて読んだら、めっぽうおもしろくて悔しかった。

彼が死んでからしばらくして、朝方の校門前に切断した頭部を置いた殺傷事件の犯人が14歳だとテレビを騒がせた。自分と同い年だった。当初は「黒いポリ袋を持った中年男性」「不審な白いワゴン車」といった目撃情報が出ていたし、「土地勘のある人」といった、いつもの推察も聞こえていた。結果はそうではなかった。そうではなかったとわかると、こうだろうと撒いていた人たちは、すっと消える。ずっとそうだ。すっと消えた人たちは、同じような事件が起きると、また出てくる。ある日、中学に行くと、先生がやって来る前の教壇に立ち、犯人の顔写真が載った「ＦＯＣＵＳ」を同級生が掲げていた。同級生の多くが駆け寄る。もちろん、自分も出向く。特に感想などない表情・顔つきだったが、自分と同い年の人間がそれだけ残忍な事件を起こしたとの事実が、頭の中に収まる場所をみつけられないまま浮遊してしまった。

今にも増して、あの頃は、単純な紐付けを繰り返した。宮﨑勤が殺したのは自分たちと同い年くらいの人たちで、今度は、殺した方が同い年だった。で、自分の親友はトラックに轢かれて死んでしまった。それぞれ理解できないのだが、それぞれがやたらと近くにある感覚がとっても気持ち悪くって、強引に共存させておくのが嫌だった。共存させたのは自分なのに。思春期なんてものは、均等の形や量でやってくるわけではないが、多くの人が体感するらしい思春期の清々しさだとか青臭い悩みだとか、その手のものと距離をとりながらやたらと冷静でいたのは、嫌な経験や絶望的な出来事をいくつも勝手に引き受けて飼い慣らしていたからなのかもしれない。潰されるわけではなく、飼い慣らしていた。つまり、その程度の屈折ではあったのだ。

グレたわけでもないし、『HEY!HEY!HEY!』は引き続き見ていたし、『遺書』はおもしろかった。彼が死んだことは新聞の地域欄にも報じられ、誰が死んで、誰が逮捕された、現場はこういう状況でしたと、淡々とした記事になっていた。何年か経って、受験勉強のために、図書館の2階にある資料室の机で勉強する日々が始まり、気晴らしに室内をうろついていると、新聞の縮刷版がずらりと並んでいた。何度か、彼が死んだ時の記事を探し出そうかと試みたのだが、いっつも、やっぱりやめておこうとその場から離れた。その頃は死んだ日を何月何日まで覚えていたからすぐにたどり着くことができたはずだが、それをしようとはしなかった。今ではもう、具体的な日にちを忘れておおよそしか覚えていないのだが、今のところ、その記事を探してみようとは思えない。そのうち探すのかもしれないが、なんで探さなければならないのか、と問われると、よくわからない。ただ、ふと、彼が死んだ事実が浮遊してきて、自分の困惑や納得の近くにやってくる。自分のわだかまりにずっと付き合ってくれている感覚がある。

見抜かれちゃうぞ

何年か前に中学時代の先生と話をしていたら、こちらから聞いたわけでもないのに、「とにかく見抜きにくくなってきた」と印象深い言葉を漏らしてきた。一体どういうことなのだろう。改めて尋ねてみると、極めて単純な話、そして、ありがちな話ではあった。生徒同士のやりとりがほぼ全てSNSを通じて行われるようになったので、イジメにしても嘘にしても見抜きにくくなっている、という。そうか、じゃあ、逆に言えば、自分が中学生の頃、先生はこちらを見抜いていたのですね、と返すと、教え子の減らず口の悪化に苦い顔をしている。

見抜く、とはなんだろう。基準は曖昧なのだろうが、私はあなたたちを見抜ける、見抜いている、という前提を保つのはそう簡単ではないはず。友人の子ども（小学3年生だか4年生だか）と話していたら、今こうやって元気な感じで振る舞っているのは、ここが学校の外だからで、学校ではすっかりおとなしいキャラクターとして定着しているのだという。仲間内の雑談でも、学級会的なものでも、その場で決められていく方針に素直に従っているらしい。その感じって、どこかでバレないの、と聞くと、今のところはバレていないと、か細い声で返ってくる。

中学生になったばかりの頃まで、家の中では母親のことを「ママ」と呼んでいたが、外では「お母さん」と呼んでいた。「ママ」から「お母さん」に切り替えた瞬間を母親から指摘されたくないという、どうでもいいこだわりを長いこと引っ張り、切り替えのタイミングを失っていた。それこそ前回触れた、「坂の上の家」の彼は、自分が家ではまだ「ママ」と呼んでいる事実を摑んでおり、ことあるごとに指摘してきた。家の中から漏れてくる声を聞き取ったのか、会話の途中にふと「ママ」を挟んでしまったのか、確かな事実なので反論しようがなかった。

見抜かれるのって恥ずかしい。見抜かれた後には、見抜かれたのを恥ずかしがっているのを見抜かれたくない、という新たなガードが発生する。ガードの無限ループというか、ガードの多層化というのか、とにかく分厚くなっていく。日頃、社会性・社交性なんて言葉はあたかも良き言葉として流布しているが、つまるところ、この手のガードの量や種類や選び方の話なのだろう。生きる上での教科書やノウハウが存在しているかのように語る人は多いが、案外、これくらいの、今から思えばたいしたことではない出来事の積み重ねが、個人の社会性・社交性を発生させてきたのではないか。恥ずかしいので、見抜かれるのを嫌がるが、見抜かれないと、やがてもっと恥ずかしいことが起きる。繰り返しながら実感していくのだ。

中学校の英語の授業で使われる教科書に、教師用の副読本が存在すると知った友人が、その副読本をどこからか手に入れてきた。その友人は家がお金持ちと聞いていたので、そういう本を揃えられたのだろうか。副読本には英文の和訳が掲載されているだけではなく、生徒にどのように教えると伝わりやすいかが、赤字に※印で要所要所に記されていた。正確な文章を記憶しているわけではないが、「ここは少し難しい箇所なので、テーマに引き寄せながら、時間をかけて文法を教えるようにしましょう」といったアドバイスが書かれていた。なけなしのお小遣いを使ってコピー代を払い、コンビニエンスストアでコピーさせてもらった副読本を手に授業を受けていると、その先生は「えー、この箇所は少し難しいんですが、時間をかけて文法を教えましょうね」と言った。「文法を学びましょうね」などではなく、「文法を教えましょうね」。手元のコピーと比較しながら、あっ、読んでる、と周囲で盛り上がる。あの時に感じたドス黒い優位性には、これまでに感じたことのない、確かな満足感があった。

人は誰だって、嘘をつくことを覚え、やがて、その嘘を見抜かれる。その繰り返しだ。見抜かれない時もあるし、こっちが見抜く時もある。俗に言う反抗期というものは、この見抜く/見抜かれるの攻防にも起因する。親が子を見抜きすぎたり、見抜いたふりをしたりすると、見抜かれた子は苛立ちを覚える。子は親を見抜きにくいから、見抜かれた出来事の集積が負荷となり、立ち居振る舞いが変化してしまう。自分が何を考えているか、いかにして嘘をついているか、誰とどんな感じで付き合っているか、精一杯、見抜かれないようにする。でも、見抜かれてしまう。なぜって、あっちのほうが情報をいっぱい持っているし、どうしたって管理下にある。はぐらかしていたことが、あっちの観察によってクッキリ浮かび上がっちゃった時の恥ずかしさは、多くの人が体の中に記憶しているはず。

だが、先生は、困った顔をしながら、今はもう見抜くのが難しいと言った。ということは、今を生きる若者たちは、大人に見抜かれないで済んでいるのだろうか。対大人だけではなく、対同級生でも、対親戚でも、ありとあらゆるバランスをとりながら見抜かれないようにする作業って面倒だが、大人や社会というものに見抜かれずに済んでいるのだとしたら、なかなか気が楽なのではないか。見抜かれないまま過ごすのって、一体どういう状態なのだろう。よく聞く、多数決で勝るほうを選んでおきたがる若者、自分の意見を発するのを怖がる若者の習性を思い出すと、見抜かれたくないという負の部分がそもそも存在しない人も多いのだろうか。

あるテレビドキュメンタリーを見ていたら、九州から上京してきた若者が、持ち金がなくなるまで野宿生活を続け、社長や金持ちとの出会いを求めて一攫千金を狙う、という内容だった。終始ポジティブな性格の彼は、名刺交換会で会った人に薦められ、スマホでＦＸ取引を始め、調子がいいとやたらと上機嫌で、調子が悪くても上機嫌。財布に残っているお金が１万円を切っても、今日は勝負だからと１０００円札を賽銭箱(さいせんばこ)に入れて手を合わせる。そんな彼が、数ヵ月後には有名ブランドの服や靴を身につけ、タクシーでブランドショップを廻るようなセレブリティに変化していた。いかにも怪しいビジネスに足を踏み入れ、とっても薄っぺらい話を続けている彼なのだが、一旦、実家のある九州に戻ると、父と母に向かって、産んでくれてありがとう、だの、お父さんの子どもでよかった、だのと漏らし、親は感動の涙を流す。なんだこれ、とは思うのだが、こういった展開は他者が基準を設けて査定するものではないので、この若者にとやかく言うことでもない。毎年恒例のドラフト会議で、ある放送局が、会議が生中継された後、「お母さんありがとう」というタイトルのドキュメンタリー番組を放送するのが最近の定番になっているが、毎度、腑に落ちない。いや、落とさないようにしなければと思う。なぜって、お母さんへの感謝があらかじめ約束されているのだ。最近の若者は親と仲がいい、なんて聞く。どちらでもいい。「最近の若者は」の流れで論じるつもりもない。ただ、この手の場合の親と子の感動は、互いに互いを見抜けていないだけなのではないか、隠し通せているだけではないのか、などと思ったのである。

１９９６年ごろ、「オヤジ狩り」という言葉が流行った。きっかけとなった事件のひとつは、千葉県の高校生を含む少年たちが中年男性を狙った事件だそうで、男性を襲った際の合言葉が「オヤジ狩りに行こう」だった。そのネーミングが浸透すると、模倣犯らは「おにぎり」などの隠語を使うようになった。おにぎりは握りこぶしを意味する言葉で、握りこぶしでぶん殴ってやろう、との意味。全国各地で発生したオヤジ狩りだが、中年男性に暴行を加えてお金を巻き上げるという乱暴な手口が蔓延したことへの驚きは、近い世代として大きかった。社会や大人を舐めてみる、という態度を心の奥底に持っていたものの、それが、ただ暴発する様子をテレビニュースなどで眺めながら煙たがっていた。街にはアムラーや、ルーズソックスを履く女子高生が溢れた。中高一貫校だったので、入りたての中学生は、どうしても上級生の高校生たちの様子が目に入る。男女問わず、その着崩した光景は刺激的なものだったが、自分の延長線上にその派手さを置きたくないという思いが強く、端的に言えばバカにしていた。バカにしながら、こういう人たちがオヤジ狩りをしたりするんだろうか、まったく浅はかだな、こっちの評判まで落ちるから勘弁してほしいよ、と勝手に嫌悪感を膨らませていた。レッテルを貼りながら、レッテルを貼られまいとガードが固くなっていく。

いつの時代も、メディアに取り上げられる若者は、勢いよく気持ちを発散させたがる若者たちで、そういう発散を見て感じていた違和感がなんだったのか、これまでわからずにいたが、そうか、それは「おいおい、そんなことしていたら、簡単に見抜かれちゃうぞ」という意識だったのかもしれない。

どういうことか。ああやって社会に向けて勢い任せに言動を晒すようなことをせず、身の程知らずだと査定される機会を極端に嫌がり、怖がる。Windows95が発売された1995年は日本社会の転機と捉えられがちで、ここから、自分と社会の距離を急速に詰めることができる社会が到来した。もちろん、皆が皆、その距離の短縮を欲しているわけではなく、見抜かれてたまるか、そっとしておけ、入ってくんな、という個人のミニマルな抵抗は現時点まで張り詰めている。踏み込んでこようとするものを拒み続けている。

この張り詰めた感覚が、一時的に打ち破られ、キミたちって怖い、と名指しされたのが、神戸連続児童殺傷事件だった。数年前に会った先生は、見抜けないことに悩んでいたようだが、それは今ちょうど見抜けない事態に遭遇しているからであって、あの時に聞けば、なにかと見抜けてしまうことにも悩ましさはあったはずなのである。今、大人になり、大人に見抜けなくなっている若者たちってどうなんだろうと思っているのだが、自分も見抜かれるのを極度に嫌がっていた。若者論なんてものは、どうしたって、その程度のものなのに、系統立てて一丁前に仕立てようとする働きかけのことなんだよね、とつくづく思う。あの頃、なにかともどかしかったし、それを解消せずにそのままでいる。もどかしさという感情については、飼い慣らしている自信はある。使いどころがまだ見つかっていない。見つからないままなのだろう。

選ばれるとは

　若い人は政治に興味がない、という失望を所構わずバラ撒くのは大人の常だが、興味を持てない政治にしたのは大人ではないか、というツッコミを若者だった頃に力強く持てなかったのはだいぶ悔やまれる。いや、お前たちのせいだろ、と無邪気にぶつけながら、片っ端からあたふたさせたかった。こっちに向けて放り投げられる失望を素直に受け止めすぎていた。

　この国は代議制なので、政治家は自分たちの「上」に立っているわけではないが、「若い人」だった自分は、たとえば地元の市議会議員選挙の様子などを観察し、とにかく「上」を目指したり、その人を持ち上げたり、支えたりしている感じを隣近所から得ていた。親の知り合いの知り合いくらいになんらかの関係者がいて、色めき立つ様子を確認していたし、特定の政党を支援している信仰心の強い組織からの訪問を受けるのは、見慣れた光景になった。実数値で自分の数十倍もお人好しの兄が、友だちの親からの訪問を素直に受け入れた上で親に伝達しており、それは、選挙という仕組みを熟知する前から、「選挙になると、なんかおかしいことが起きるんだよな」と嫌がるには十分な光景だった。後日、確かめる電話もかかってきて、その丁寧な話し方を家の中で真似していた。訪問してきた家の前を通り、自分の家に介入してきた人たちだとわざわざ腹を立てたし、今、政権与党に居座りながら、なにかと微調整に駆り出されている当該の政党の姿を見ると、あの家の前を思い出す。多摩湖の周回道路に面していたので、生い茂る木々の前でいい具合の夕陽を浴びていた。落ち葉の季節にも、その家の前だけは常に片付いていた。

地元候補者の下世話な噂が飛び込んできたと報告する母親はどうにも嬉しそうな表情をしていた。この手の噂の発生を抑え込むのに失敗すると、あっという間に地盤がぐらついてしまう。その時はかろうじて当選したと記憶しているが、半年ほど前、久しぶりに帰った実家で聞くと、何度か前の選挙で落ちていた。長らく噂されてきた異性交遊が関係しているようだとフィクサーのような発言を漏らしたのみで、核心部分を語らない。核心を知らないまま話している可能性も高いが、長年住んでいる市民にそう思わせたら勝てなくなる世界なのだ。

その候補者が所有していた小さなビルも空きが目立つようになっていたが、入り口にある古びた自動販売機は健在だった。小学生の頃、夜遅くに道路の向かいから目にした自動販売機が、購入できる状態のまま各ボタンが赤々と光っており、急いで横断歩道をわたってタダで飲み物を手にした記憶が蘇る。あの頃はまだ、視力が1・5くらいあったはずだから、道路を挟んでいても、押せば出る状態にあるとわかった。それを確認できる視力を有していなかったはずの親からすれば突然飲み物をせがまれた状態だったかもしれず、なぜか即座に手にした飲み物に驚いていた。そのビルにあった歯医者は評判が悪く、今、通っている歯医者からも「これ、昔、治療されたものだと思うのですが、ちょっとこれは……」と何度か告げられた。とにもかくにも、そのビルは年々覇気を失っていた。どうやら、あの人、ちょっとあんまりらしいよ、という曖昧な空気の伝染が、実際にその人の歩みを止めたのだろう。

出身地のウェブサイトにアクセスして、市議会議員一覧を眺めると、自分の記憶を必死に刺激することでいくつかの名前が照合される。そうか、これだけの人がずっと、その場に居続けているのか。

政治というキーワードを記憶にぶつけると、頭の中を充満するのが脂分である。ギトギトした存在感。はっきりしないニヤニヤ同士がこぢんまりとまとまり、大きなことを決めてしまう。その閉鎖的な空間にエキスパートが集まっている印象は薄く、密室で物事を動かしている自負だけがドクドクとこぼれ落ちてくる。

日本が不況に入り、その不況が定着、「デフレ・スパイラル」と呼ばれたのが1998年あたりのこと。製品価格が下落することで企業利益が減り、人員削減により失業者が増えるなどして、あらゆる需要が低下、物価が下落し続ける悪循環は、学生の実感を伴うものではなかったが、ときおり目にする脂ギッシュな攻防は頭に残っている。この年の7月まで首相を務めていたのが橋本龍太郎。ゆったりとした口調で、相手の攻勢をあしらうように粘着質に語りかける様子は、当時校内にいた、女子に限って下の名前で呼ぶ老齢の教師を思い起こさせた。政治家とは、そういういやらしさを誰よりも含有している人たちに見えた。

橋本が辞めた後、自民党総裁選に立候補したのが、小渕恵三、梶山静六、小泉純一郎。この三者について、「凡人・軍人・変人」と形容したのが田中眞紀子だ。とにかく地味な小渕、かつて陸軍士官学校に在籍していた梶山、党の色に染まらない小泉の存在を、軽快に茶化してみせた。今では政界から距離をとっている田中だが、2020年9月に行われた自民党総裁選に出馬した三者について、石破茂を「納豆餅」、岸田文雄を「冷凍になった透明人間」、菅義偉を「(安倍家の)生ゴミを詰め込んだバケツのふた」と形容していた(が、特に流行らなかった)。「凡人・軍人・変人」にあったポップさは消え、個人的な嫌悪が滲みすぎたのが流行らなかった理由かもしれない。べちゃべちゃしていていつまでも飲み込めない納豆餅。固まっていて溶けても生臭くもならない透明人間。臭いものに蓋をし続けたバケツのふた。形容の切れ味は悪くない。政治家に向けられる風刺を有権者が許さないという不可思議なご時世はますます強まっている。政治家に吹っかけられたものを、「そんなことを言うもんじゃないよ、あなたにはそんなことを言う資格があるのかな」などと、有権者が率先して生真面目に取り除こうと試みる光景って滑稽でさえある。

「凡人・軍人・変人」から選ばれた「凡人」は、ニューヨークタイムズ紙に「a cold pizza」(冷めたピザ)と書かれた後、「冷めたピザもレンジに入れれば温まる」という迷言を吐いた。当時のアメリカのオルブライト国務長官は「私は熱いピザよりも、冷めたピザの方が好き」と擁護した、のか、バカにしたのかはわからないが、いつまでも残っているピザが誰からも手をのばしてもらえない状態というのは、あの頃の日本を形容するのに見事な言い様だったのだろうか。今はどうなのだろう。いずれにせよ、あの光景は、こんなものに興味を持ってはなりませんよ、という一方的なアピールに見えた。どうして若者は政治に興味を持たないのだろうか、との問いかけは、この日本ではお決まりの挨拶と化したままだが、興味を持ってもらえる政治を若者に差し出したことはあるのだろうか、と速攻で返す。凡人が冷めたピザを自己肯定する姿に対して、積極的な興味を向けるのって相当難しい話だった。

日本経済の停滞期となれば権力構造への嫌悪感が目覚めやすかったはずなのに、そこまでの強い記憶はない。前に記した、自分のことを見抜かれるのを極度に嫌がりながら、もどかしい感じを抱えていたのであれば、その発散方法に政治権力を活用してもよかったはずなのだが、そうはならなかった。あいつらが悪いんだ、と人のせいにしやすい頃合い、それが無鉄砲でも許される頃合いだったのに、あいつらに対し、たいした悪意を持っていなかった。

ポップなメディアが、目立ちたがる中学生や高校生をいたずらに持ち上げている時期でもあったので、通っていた私立の中高一貫校の生徒には、芸能界に片足を突っ込んでいる人もいた。その姿に羨望の眼差しを向ける人が多かったが、当然こちらは、鼻で笑う準備を整えた上で、「なんとまあ、大人の社会に消費されちゃってますな」と満を持して笑っていた。世代論は好きではないが、あのタイミングで権力構造を敏感に察知していれば、今、新自由主義的な勝ち組願望を刺激しながら、そうはなれない連中からお金を搾取するような同年代が目立つことにはならなかったのではないか、などと壮大なことを思ったりもする。

『ASAYAN』という番組で、オーディションの落選者によってモーニング娘。が誕生した。選ばれたメンバーがCD5万枚を5日間で手売りしなければメジャーデビューできないというミッションを課され、見事にクリアしてデビューが決まった。今に続いているグループだが、デビュー当初から「人事異動」で視聴者を揺さぶる番組の構成に乗っかることで人気を膨らませていた。自分自身も、その手口に素直にハマった。歌って踊っている女性たちが、選ばれたり、選ばれなかったりする様子を見ることに興奮を覚えていた。当人たちは、

「何も知らされていない！」と笑顔が曇り、好転する展開で笑顔を取り戻し、いや、やっぱりそうではなかったと泣き顔になったりした。管理する人間達からの通達に逆らうことは許されず、これから一体どうなってしまうのだろうという動揺を視聴者が一緒に体験する。この手法は現在までずっと続いている。個人の心身の揺れ動きを商売にするのは、改めて登場した秋元康によるＡＫＢ商法のほうが巧みであり、そして、露骨でもある。今現在、モーニング娘。らのハロプログループは、ＡＫＢ商法との比較を含み置いた上で肯定的に見られることが多いが、とにかく、あの、選ばれる様子を思いっきり消費した事実はある。勝者がいて、敗者がいる。それぞれにドラマがあるのです、という、中立っぽさを敷き詰めた上での残酷さは、手軽に作れるエンターテイメントの方向性を決めてしまった。プロセスを見せる、選ばれる瞬間を見せる、選ばれなかった瞬間を見せる。直接的に感情が発露する場面をあまり見せない私たちは、その発露に驚きながら、心を動かされる。

選ばれる存在になるということはどういうことか、なんて、ちっとも考えなかったが、なぜ、その時、そう考えなかったかといえば、テレビの中で選ばれている、消費されている存在がいくらでもいたから。アイドルが選ばれる光景には、脂分の多い人たちが選ばれる時にはなかった爽やかさがあると感知していたが、起きていることはまったくもって一緒だった。必死に頑張る様を見せつけられると、自分も必死に頑張らなくてはいけないなと共感する人と、自分は必死に頑張る必要なんてないと退ける人に分かれるが、自分はもちろん後者。選ばれることに価値を見出し、そればかりを探求するようにはならなかった。でも実は、スレスレのところを歩いていたな、と振り返りたくない記憶だっていくつか転がってている。忘れておきたい、忘れてしまいたい。これが、自分も政治性をもった、という証なのだろうか。

管理されたい

東京都渋谷区のバス停のベンチで、早朝、ホームレスの女性が殴り殺される事件が起きた。女性はベンチに寝そべっていたのではなく、座りながら眠っていたという。なぜ座りながらだったのか。そもそも寝られないようになっていた。ベンチには仕切りがあった。座る人の範囲を強制的に決める仕切りは、ホームレスが寝そべるのを拒む。繁華街を歩けば、この手の仕切りや突起物があちこちにある。排除のメッセージがデザインに組み込まれている街の下品さを、街を作る人たちが率先して強化してくる。見事に、座って眠らせるのに成功したのだ。

そのくせ、たとえば、東京都庁周辺の地下道を歩いていると、いや、これは、排除目的ではなくアートです、と言わんばかりのデザイン性を打ち出そうとしており、デザインした人たちは、「ここで強引に寝ようとする連中が寝ようとしても痛くてたまらない形状、だけど、それなりにデザイン性も高い感じでお願いしますね、バレない感じで」なんて発注されたのだろうか。「いったいなんのために自分はデザインの仕事を選んだのだろうか」って思わなかったのかな、と勝手な想像も続く。もし、最大の目的「排除」を隠してデザインをお願いしていたのだとしたら、そうやって狙いを隠しての依頼にためらいはなかったのだろうか。それとも、発注するほう、受注するほう、双方が一致団結して、排除のためにアートを作りましょうと拳を上げたり握手をしたり、飲み会を開いたりしたのだろうか。どんなプロセスであったとしても、それぞれのプロセスを、はしたなく思う。

京王井の頭線渋谷駅の西口を出てすぐのところに、この排除アートがある。とても景観のためとは思えない波形の床面に、イボイボの突起物がランダムについている。日陰の高架下ということも手伝ってか、昔、保健室の壁に貼られていた、タバコを吸い続けた人の不健康な肺の写真のようなドス黒さだ。近づいてみると、突起物の周辺が汚れており、わざわざ清潔から遠ざかるデザインでもある。当然、人は寄りつかない。よし、今日も寄りついていない、汚れたままだぞ、という満足がどこかに存在しているのだろうか。ホームレスを寝かせないためのデザインはすっかり生活に馴染んでしまったが、その突起によって生じる汚れって、いかにも現代的である。突起の汚れは突起がなければ存在しなかったのだ。

すっかり、「管理したい！」という欲が街に溢れている。いたるところに張り巡らされているカメラを「防犯カメラ」と捉えるか、「監視カメラ」と捉えるかでその欲の受け止め方は異なるだろうが、自分の場合は後者。公共機関の男性の小便器には、「もう一歩前へ」という、ラグビー部の部室に貼られている代々受け継がれてきたスローガンのような、気合いの入ったフレーズが掲げられている。それを見たところで、具体的にもう一歩前に出ることはしない。ただし、汚さずにおしっこをしようとは思う。メッセージを直接示されることなく伝えられる。私たちはこうやって察知する。察知させられる。察知を覚え、精度を高める。公共デザインは、不快の発生を最小限にしながら、人間を誘導していく。歩行者の通行方向を示す→←にしても、どのような書体で、大きさで、頻度で図示するかによって、捉え方は変わる。快適に過ごしてもらう目的がいつのまにか動作を絞ろうとする目的に変質し、その変化の確認を私たちが怠れば怠るほど、「管理したい！」が整ってしまう。そんなに管理しないでください、と異議を申し立てたつもりでも、いえ、管理ではなく、便利になったということですから、その点、勘違いしないでくださいね、とのメッセージが返ってくる。

テレビをつけると、どんな時間帯でも、これでこんなに便利になります、という情報が立て続けに流れてくる。あるモノが開発され、このモノによって、これまでこれだけ時間がかかっていたものが、こんなに短い時間でできるようになります、という伝達が続く。そうですか、それは実にありがたい、と嬉しそう。わざわざとか、いちいちとか、そうやって時間を必要とする行為をひとつひとつ潰していく社会って、成熟ではなく単純化でしかない。単純化すると選択肢が強制的に減らされる。ただじっとしているだけなのに、無数の選択肢が限られた数に絞られてしまう。その後では無数の選択肢って取り返すことができないから、もう、目の前にある残された選択肢に慣れていくしかなくなるのである。

映画監督・作家の森達也は、「オウム以降」という区切りで論を展開することが多い。たとえば、ゴミ箱がそうだという。地下鉄でサリンが撒かれてから、駅構内のゴミ箱が撤去されたり、透明化されたりした。ゴミ箱がめっきり消え、捨て場所を見つけられなかったゴミが、空き缶専用のゴミ箱に無理やり押し込まれる光景に慣れてしまった。「そこにあるとよろしくないかもしれないと思われるもの」が一斉になくなっていく。一方で、「そこにあればいい感じがするもの」が増殖していく。巨大ショッピングモール、ロードサイドのチェーン店、駅前に連なる消費者金融など、均一化した街並みはネガティブに語られがちだが、そういう存在感のはっきりしたものよりも、こっそり排除されたものを思い起こすほうが、均一化の理由が見えてくるのではないかと思う。

1999年は、私たちの身動きを縛ろうとする法律がたくさん通った年である。成長するのもひとまず頭打ちだ、何かと同調しようという空気が具体化した年なのかもしれない。まだ高校生だった自分にはそんな実感などあるはずもなかったが、大学生時代に読みふけった論客たちの何冊か前の本に目を通すと、そんな危機感が同じように刻まれていた。具体的には、通信傍受法（盗聴法）、住民基本台帳法改正、国旗・国歌法、周辺事態法がそれである。「犯罪捜査のための通信傍受に関する法律」を正式名称とする通信傍受法は、当時の報道では盗聴法と称されることが多かったものの、法整備が具体化するなかでメディアが扱う名称を切り替えていった。組織的な犯罪を対象とし、犯罪の実行に関連する通信について傍受することを認めた法律だった。当初は4種類（薬物、銃器、組織的殺人、集団密航）だったが、２０１６年の改正で、一気に9種類ものカテゴリが追加されることとなる。その9種類が「窃盗、詐欺、殺人、傷害、放火、誘拐、監禁、爆発物、児童ポルノ」。疑いの発生から傍受できるようになると考えれば、窃盗、詐欺、傷害などでは、相当な自由裁量での行使が懸念される。組織的でなければ適用されないが、では、その組織的とはなにか、という枠組みが曖昧なままだ。２０１７年に成立した共謀罪との関連も危うい。この手の法整備には「いや別に、身に覚えがない人であればなんら関係のない話であって、やましいことがある人が怖がっているだけでしょう」という声が飛び交い続ける。そうではない。その「覚え」を、自分以外の誰かが恣意的に設定してくるかもしれないところに問題があるのだが、自分は関係ないと決めてしまう。このあたりの感覚が、２０００年代に花開く、勝つためには勝たなければならない、負けているのは負けたからだ、という新自由主義がどこまでも単純化されていく様子との親和性なのだろうか。

1999年2月、広島県の県立高校の校長が、日の丸の掲揚と君が代斉唱の指導をめぐり、自ら命を絶つ事件が起きた。広島県内の小中高の「日の丸」「君が代」の実施率の低さが問題視され、教育委員会が実施への圧力をかけている最中での出来事だった。この件をきっかけに法整備が急がれ、大した審議も経ずに、国歌・国旗を規定した法律が整備されてしまった。私立高校、そしてプロテスタント教育の学校に通っていた自分はこの変化を実感しなかったが、当然、思想の自由に抵触しかねない事案だった。

1999年が終わる大晦日、つまり、ミレニアムを迎える日、友人たちと神田明神に出かけた。その年は、自分の家に父親が不在だった。貿易関係の会社で働いていた父親は、いわゆる「西暦2000年問題」の対応で、香港だか台湾だか(とても適当で危うい記憶である)に現地入りして作業をしていた。だから、大晦日に出かけたのか、いつもと異なる特別なムードが漂っていたからなのかは忘れたが、とにかく友人たちと御茶ノ水(おちゃのみず)に集まった。神田明神の前でこれをやろうと企んでいたのは、実際はまだ23時58分くらいなのに、ウソのカウントダウンを始めてしまおう、というもの。年明けを待つ初詣客が長蛇の列を作っている横で、並んでいる人たちに聞こえるか聞こえないかくらいの音量で「10、9、8、7、6……」と早歩きをしてみる。すると、その列に並んでいる人たちが、慌てた様子で時計を確認し始める。その長蛇の列の前後は、それぞれ時間を確かめ合える関係性ではないから、静かな動揺が広がる。並んでいた人たちにとっては、若造のしょうもないイタズラを極めて不快に思っただろうけれど、こういったバグりを発生させた快感は体の中に残っており、結局、大きな問題にはならなかった「西暦2000年問題」を思い出すときに、あの長蛇の列の静かな動揺が記憶にこびりついている。

何年か前、ハロウィンの大騒ぎの最中、渋谷で軽トラックをひっくり返した若者たちが検挙された。特定は難しいかと思われていたが、張り巡らされた監視カメラを駆使して、若者たちの移動経路を突き止めたのだという。まったくとんでもない連中だとは思うものの、そうやって、便利なものの連動によって「身に覚えのある人」の行動が追いかけられた、という結果について、少しの迷いもなく喝采を向ける人の多さに驚く。管理されたい欲は、悪いことをしたらバレる、がベースになければならない。「悪いことをしてもバレないこと」を望んでいるのではない。「悪いことをしたらバレる、がベースになっていること」への疑いを持ってみる人の少なさへの疑い。これを改めて、ほんの少しばかり持ち出してみたいのだが、もはや活路は徹底的に塞がれているし、すぐそこに「身に覚えがあるのではないか」が待っている。

学ばないほうが

学生時代、テイという名前の下級生がいて、テイ君と呼ばれていた彼は、英語の授業で「take」を習う中で出てきた、「take,took,taken」というリズミカルな連呼によって、イジられていた。そのイジりを知って止めに行ったかといえばそんなことはなく、何かの委員会で一緒になった時にはみんなと同じように笑っていたし、テイ君自身も笑っていたから、朗らかな光景ではあった。しかし、実際、テイ君自身がどう思っていたかなんてわからない。心から歓迎していたはずはないが、それをじっくり考えて見分けるほどの付き合いは続かなかった。仲間内から疎外される、茶化される可能性を毎日のように感じていた日々は今思えば恐ろしさしかないのだが、最後まで回避できたという結果に自信を持ってはならず、むしろ、疎外を作り出す言動を撒き散らしていたに違いないのである。

どういった言動が排除の芽生えになるかわからない。taken とテイ君が似ていた。あるいは、「穴（あな）」という文字が名前に含まれる同級生を「穴（けつ）」と呼んでいた。テレビで見かけた犯罪者と同じ名前ならば、ひとまずその犯罪者扱いしてみる。それが当人にどんな影響を与えたのか、与え続けているのかについて、投じたほうはすぐに考えなくなる。今、こうしてなんとか精一杯思い出しているくらいである。プロテスタント系の学校だったので、先生からしきりに「隣人愛」が叫ばれていたが、正しい文脈で用いる生徒は少なく、自分が不利になった場面で「おいおい、隣人を愛せよ！」とあちこちで連呼されていた。長大な歴史を瞬時にもてあそぶ技量を有していたわけだが、その行使の仕方は間違っていた。

差異が発生する場面に立ち会わないようにする、その場面の中心にいないようにする。それを何度か間違うと、新しいターゲットになりかねない。そこまで殺伐とした学校ではなかったが、警戒感は一定に保たれていた。今はもっと強化されているのか、薄まっているのか、直接的になっているのか、間接的になっているのか知らない。外されないようにするために外す側に回ってみるというのは、未来永劫、変わらないのではないか。

ある日、部活動のため体育館に向かうと、体育館の外で泣いている女子バレー部員がいて、後で事情を聞くと、卒業アルバム掲載用の記念撮影を部活動ごとに行う日に、赤色のユニフォームで来るように言われていたのに、一人だけビジター用の紺のユニフォームを着てきた。体育館内からはそれを笑う声が聞こえる。その時自分がどうしたかと言えば、その人の前を通り過ぎ、体育館の中の笑いに参加した。外で泣いている彼女に「どうしたの?」と声をかけたらどうだっただろう。気があるのかとか、偽善者とか、そういう方向の巻き添えを食らっていたかもしれない。巻き添えの可能性を常に探しながら、そこから逃げていた。

日本社会は同調圧力が強いと言われるが、圧力というよりも、もっと細かく成分解析すれば、同調可能性詮索能力持続待望社会といった感じで、圧力というより、自発的に同調に向かうのを期待されていた。差別視にしても、そういう視点の方向づけを確認すれば、ひとまず承認してみるというか、あんまり見ないで回覧板にチェックだけしてそのまま隣宅に届けるような感じで受け流していた。一つ一つの事柄に対して主犯格になるのを避ける。矛盾を見つけても俯瞰して誤魔化す、という悪癖を体に染み込ませると、自分の加害性はおおよそ無視できた。実社会に出てみると、あの感じが「空気を読む」ってやつだったのか、と繰り返し思わされるし、そのころになると、改善しなさい、なんて直接言われはしない。だからそのままになる。日本社会の生成プロセスである。

正しい人間でありなさい、自分のことは自分でできるようになりなさい、と規範を押し付けるくせに、差別心を持たない人間になりなさい、という方向の教育はどうしてだか弱い。真剣に問うと、自由を探し始め、規範そのものの改訂を求める結果につながるからなのだろうか。同調と差別は時にセット販売されるので、同調ばかり考えているうちに、差別が体内に常備されてしまう。学校教育の盲点を語れる立場にはないが、あくまでも個人的な体感からして、その場で起きている個々の事例に対し、それは差別です、やめなさい、とする指導は欠けていたと思う。今よりも直接的に叱られる時代だったが（殴られはしなかったが）、小突くのは残っていて、それが特定の教師の個性とされていた）、それは、Aをすべき時にAをせずにBをしたからという理由。つまり同調に欠けるから、だった。同調しないと叱られたが、差別をぶつけてもさほど叱られなかった。とても危うかったし、その危うさは持続するどころか、社会の隅々まで浸透してはいないか。

２０００年、東京都知事だった石原慎太郎が、陸上自衛隊練馬駐屯地創隊記念式典で、「東京では不法入国した多くの三国人、外国人が凶悪な犯罪を繰り返している。大きな災害がおきたときには、騒擾事件すら想定される。警察の力には限りがあり、災害の救急だけではなく治安維持も目的として遂行してほしい」と発言して問題視された。戦後、在日朝鮮人などに向けて使われていた言葉を意図的に用いることで、ターゲットを明示した。発言した翌日に反省した、はずはなく、「古い人間だから、古い表現を使ったのかもしれないが、差別はまったくない。どこがいけないか説明してほしい」「東京の犯罪は凶悪化しており、全部が三国人、つまり不法入国して居座っている外国人じゃないか」と畳み掛けた。

これは差別ではない、と発言した後に、差別発言を続ける、むしろ強化してみせる手口を彼は好んだ。彼ならではの手口、というよりは、差別主義者の基本的な手口である。そういうつもりじゃなかった、そういうふうに感じた人もいるかもしれないがそうではない、それでもそうだというのなら、そうだ、キミがそのことを証明したまえ、いや、だから、そんなつもりで言ったんじゃないよ、そうやってキミみたいのが、勝手に決めつけるから、こうやって話が間違った方向にいくんだよ、たいがいにしろよ。この感じ。今もあるこの感じ。

　差別されるとはどういうことなのか。東京都東村山市にある明治学院で学生時代を過ごしたので、近くにある、ハンセン病国立療養所・多磨（たま）全生園（ぜんしょうえん）から何人かがやってきて、どういった差別を受けてきたのか、講演を聞いた。毎年のように聞いたから、恒例行事だったのだろう。同じ人間として扱われなかった歴史がすぐそばに存在したことをスライド写真などとともに振り返る講演は強いインパクトを残したが、この強いインパクトというものを、ちょっと目立つ感じに変換して面白おかしく口に出してしまうのが当時の毒性で、むしろ、その過去に戻すかのような言葉を講演後に吐く同級生もいた。さすがにそれには乗っからなかった。強制的に与えられた学習を素直に受け止めようとしない雰囲気に飲まれていたのだろうが、こうしてすぐには受け止めきれない史実をぶつけられると、その日の断片は20年ほど経った現在でも記憶に残る。直後の反応は鈍かったが、記憶には埋め込まれている。あの講演は、直接的にではないにせよ、自分の振る舞いの歯止めになっていたのではないか。

この国の教育は、差別した歴史、加害の歴史に時間を割こうとはしない。石原慎太郎の「三国人」発言があれだけ乱暴に撒かれていたのが4月。翌5月には、首相だった森喜朗が、神道政治連盟国会議員懇談会の結成30周年記念祝賀会の場で、「この懇談会は昭和の日の制定や先帝陛下ご即位60年のお祝いとか、政府側が若干及び腰になるようなことを前面に出して、日本の国はまさに天皇を中心とする神の国であるということを国民にしっかりと承知していただくという思いで活動してきた」と述べて問題視された。石原がそうだったように、森もまた、自分からは問題を認めようとしない。5月17日の参議院本会議で、こんなことを述べていた。屁のつく理屈がいくつも連なっている。自分が政治を知り始めた頃、早速、こんな発言に付き合わされていたのだ。

「内閣総理大臣として、日本国憲法に定める主権在民、信教の自由について、これを尊重、遵守することは当然なことであり、誤解を生じたとすれば申しわけないことであり、おわびを申し上げたいと思います。私が申し上げたかったことは、少年が関与する人の命を軽視するような事件が相次ぎ、教育についてさまざまな問題が指摘されている中で、人の命の大切さへの理解や宗教的な情操を深める教育が大切であるということであります」

「天皇中心という表現がありましたが、これは、天皇は時代時代により位置づけが変わったが、現在では日本国の象徴であり、日本国民統合の象徴であるとされていることを申し上げたものであり、主権在民の考え方に反することを申し上げたものではありません」「また、神の国という表現は、特定の宗教について述べた趣旨ではなく、歴史を振り返れば、日本には古事記の中に見られたような神話がありますが、地域社会においては、その土地の山や海や川など、自然の中に人間を超えるものを見るという考え方があったことを申し上げたものであります。決して天皇が神であるという趣旨で発言したものではありません」

あの発言が、「少年が関与する人の命を軽視するような事件が相次ぎ、教育についてさまざまな問題が指摘されている中」で発せられたものだとは知らなかった。まさしく私のような世代をご心配くださっていたのだ。ご心配くださるなかで、「天皇を中心とする神の国」という発言が出ていた。そうだったのか。「誤解を生じたとしたら申しわけない」「〜を申し上げたものではありません」「〜という趣旨で発言したものではありません」という言い分は、ご存知のように、政治家の言い訳の定番として、ずっと大活躍している。歴史を曲げたり、人を差別したり、だれかを痛めつける手口が変わらないのは、こうした言い訳が変わらないあたりからも見える。言い訳が貧相だと重大な物事まで貧相に染められてしまう。結果、問われることなく、同様の出来事が温存されていく。

こういう風でありなさい、という個人への制約は強まるのに、もっと大きなものを動かす人や組織の言い訳は緩慢で稚拙、という状態が続く。たとえば、と振りかぶるまでもなく、石原や森からは、同じ仕組みの言い訳がずっと聞こえた。たとえば最近では、何についてどんな言い訳をしていたかを例示してもいいのだが、気が滅入る。この、何も学ばずにキャラクターで許されようとする悪質性は、どういった改善の可能性があるのだろう。子どもの頃、大人がこんなに子どもだとは思わなかった。もう少し早く気づきたかった。

つながりたくない

目の前に新しいツールが現れたら、ぐいぐい前のめりになってそれを使う人と、前に出ずに静止して様子見をする人に分かれるが、自分は、そのどちらでもなく、前に出ないどころか一歩か二歩下がってみせる。聞かれる前から、そんなものは使いませんよ、と意思表示するのだが、こちらの後ずさりを気にしてくれる人なんてほとんどいないから、気づけばただ遅れている人になる。だが、実のところ、その遅れている感じに自分なりに酔いしれているのだ。新しいツールの特徴って、おおむね「便利」だ。これがあれば、あれができるようになる。いままでできなかったあれが、これだけでできるようになる。とにかく、そう繰り返してくる。次は、前回できなかったこれを、と繰り返す。

後ずさりした自分は考える。果たして、あれについて、こんなにすぐにできるようになるのを私たちは待望していただろうか。こんなに素早くできるようになります、に対して、本当ですか、こんなに素早くできるなんて、と興奮しているようだけれど、それをそこまで我慢してきたとは思えないのだ。通販番組は、おおよそ「みなさん、〇〇にお困りではありませんか?」と始まる。ああ、確かに、お困りかもしれない、と前のめりになる人は、数秒前まで、それについてお困りだとは考えていなかったはずである。お困りですか、と言われると、お困りかもしれない、と考え始める。新しいものはいつだって、便利を打ち出すと同時に、こちらのお困りを指摘してくる場合が多い。彼らの生業はお困りの発見だ。

高校を卒業したのは2001年の春だが、この時期は、一通りみんなが携帯電話を持ち始めたところで卒業、というくらいのタイミングにあたる。自分たちの周辺では大半が携帯電話を持ち始めていたが、3月に入っても、クラスで残り3人だけ持たない、という意地っ張りがおり、そのうちの一人が自分だった。卒業ギリギリで購入したものの、当時から数歩下がるような態度でいた自分がどうなったかといえば、多くの友人の連絡先を聞けないまま卒業となり、それなりに仲が良かった人とも交流が途絶えてしまった。

最後まで買わなかった一人に、「実は、自分、買ったんだ」と告げた時、とても寂しそうな顔をした。直接言葉にはしなかったものの、裏切り者に向ける表情をしていた。家族の仲がそこまでうまくいっていなかった彼は、数年後、どうやら家を出たらしいのだが、その結果、連絡をとれる人が誰もいなくなってしまった。5年後くらいに行われた同窓会に、もちろん彼の姿はなく、誰かが「そういや、あいつの名前を検索してみようぜ」と試みると、北関東で行われたマラソン大会で見事に入賞しており、その模様を伝える粗い画像を見て、こみあげてくるものがあった。3月中旬になんだかんだで携帯を買った自分と、それでもまだ買わなかった彼との差が、その同窓会にいる・いないだった。新しい友達だってできているはずだし、もう20年も前のことなのだが、申し訳ない気持ちが残る。

学校から家に帰りさえすれば、基本的には学校の友人たちと対話せずに過ごせたのは自分たちの世代が最後で、この後からは、とにかくつながる状態に突入する。ひとりにさせてくれ、と思う前に、ひとりじゃないよ、という優しい声が舞い込み、おまえひとりだな、という大雑把な声も被さり、その声を調節しながら、自分の立ち位置を探らなければいけない。もう一人にはなれないのだ。比較対象なんて少なければ少ないほうがいいに決まっているのに、案の定、どんどん前に出て行く人の多くは、比較されながら体を痛めていく。

もういいよ、便利は。なぜなら、もう便利だから。毎日そう思っているのだが、半永久的に流れてくるその手のニュースに、世の中は、これで本当に便利になりますね、と素直に興奮している。昨日より今日、今日より明日は、よりよい世界になっていますでしょうか。だから、繰り返し問いかけてしまう。それ、もっと便利になればいいなって、本当に思っていましたか、と。

コラムニストの天野祐吉が「計画的廃品化」の話を何度かコラムに書いている。2010年、『The Light Bulb Conspiracy』というタイトルで制作されたドキュメンタリーが、12年に『電球をめぐる陰謀』とのタイトルで日本でも放送された。電球が売り出され始めたのが1881年。当時の耐用時間は1500時間だったが、1924年には2500時間に延びた。2500時間となると、1日8時間つけたとして310日程度。1年に1回取り替えるだけで済む。そのドキュメンタリーでは、1925年にジュネーブの国際会議で、電球の耐用時間を1000時間にしようと決められ、それ以上の耐用時間のものは作らないと決められたと明かす。つまり、計画的に廃品になるように設計されているのだ。この考え方は今でもいろいろなところに残っているのではないか、と天野が指摘していた。

壊れてくれないと新しいものを買ってくれない。新たに買ってくれるものもまた、壊れるように仕向けておかなければいけない。完璧なものができそうになっても、完璧なものではないように整えなければいけない。大量に生産し、大量に消費される時、そこには、完璧なものにはしないという最新テクニックが含まれている。スマホにせよ、家電にせよ、調子が悪くなるのは、調子が悪くなるように設計されているから、なのだ。バカにされている。天野は繰り返し憤慨していたが、この予期された劣化への憤りが世の中で薄まったのは、便利への渇望と表裏一体ではないか。

高3の3月まで携帯電話を持っていなかったので、当時流行り出していた「着メロ」というものを皆がどうやって手に入れているのか、あらかじめ内蔵されているのかさえ知らなかったが、先生に見つからないようにトイレの鏡の前で着メロを披露し合う同級生の様子には嫌悪感しかなく、音楽というものはそうやって部分的に味わうのではなく、頭から最後まで堪能しなければならない、そうやって自分好みに加工する姿勢はいただけない……と、かれこれ20年も言い続けている。

進化とは加工だ、とその時に思ったわけではないが、新しいとされる物事に感じる嫌悪感に共通項を見出すとしたら、そこだ。「で、その加工、いるの?」だ。自分たちが受容してきた便利は、手動だったものが自動になる、1時間かかっていたものが一瞬でできるようになる、といった根本的な便利ではなく、もっと便利になる、という気合いベースのものが多い。もっと便利、というのは、プレゼンするほうによって度合いを調整できるから、そのテクニック次第では突発的なブームを巻き起こしていく。

自分たちの世代は、真新しい現象を目にする機会が少なかったのではないか、という気持ちさえ残る。今、自分たちが目の当たりにしているのは、アップデートが多い。あれがこんなに新しくなった。あれがこんなに短く済むようになった。あれとこれが同時にできるようになった。どれだけあれをやったって料金は変わらない。そういうものばかりだ。

アップデートによって利益は得られる。でも、何かこう、個人にとっては、抜本的なものではない。それとも、自分のような性格は、どの時代を生きていても、与えられる便利は抜本的なものではないと偉そうに愚痴をこぼす存在で、商売の想定からは取り外されているのだろうか。できるようになったことよりも、できなくなってしまったことに、圧倒的に興味を示す。学生時代から、つながることよりもつながれないことのほうに興味がある。そう簡単につながってたまるかと思っており、それでも、あちらからつながろうとしてくるのでダッシュで避ける。ストレスが溜まる。照準に合わせようとしない人はただただ依怙地な人間であるとされがちだが、どうして便利のニューヴァージョンに体を合わせなければいけないのかという疑問に明快に答えてもらったためしがないのだ。

せっかちな社会から少し距離をとって静かなところで暮らそうとか、自分らしい時間の使い方を手に入れようとか、そういうプレゼンは繰り返されていて、その通り実践している人も多いのだが、その根っこの部分、どうしてせっかちになってしまったのか、なぜ便利になればなるほどよしとされているのかとの疑問には、はっきり答えてくれない。

情報なんて届かないほうがいいこともある。必要な情報をこちらから探しに行きたいのに、この中から必要な情報を選んでください、という状況ばかりにさらされる。突き進む便利が身動きを制限している感覚を持ち、その違和感をこうして時折文章に挟み込んでいるのだが、賛同の声は乏しい。

それに、高校の最後まで携帯電話を買わなかった彼からしてみれば、おまえにそんな話をする資格なんてないよ、という話だ。なんたってこっちは、最終的に携帯を買っている。これまで謝りたい人は何人もいるが、その筆頭にあがってくるのが彼だ。最後に別れたのは多摩湖の堤防の入り口で、「じゃ、また」と言って、彼は、自転車をトップスピードで走らせた。陸上部だったので、自転車を漕ぐのもやたらと速かったのは覚えている。

自転車だから

本書は一応時系列になっている。この、一応、というのが個人的には肝で、行ったり来たりしながら結果的に少し進んでいた、くらいの感じがお気に入りなのだが、別にオマエのお気に入りだからといって、こっちは気にくわない、そろそろ飽きてきた、でももちろん構わない。ここまで、ありがとうございました。

記憶が断片的で、資料が網羅的である場合、資料に記憶をぶつけていけばいいのか、記憶に資料をぶつけていけばいいのか悩むのだが、断片的な記憶を刺激するほうが蘇ってくる光景がクリアである。光景はクリアだが、時系列は怪しくなる。でも、今この瞬間、時系列を意識しながら生きているわけではないのだから、当時のことだって、時系列では語れない。こうして言い訳ばかりを思いつく様子は、断片的な記憶にもこびりついている。

高校卒業まで携帯を買わなかった友人と多摩湖の堤防で別れ、自転車で走り去る様子を記したが、ここまで振り返ってみて、自分には自転車に乗っていた記憶が濃いと気づく。高校を卒業すると、大学もバイトも、電車を乗り継いで行き着く場所ばかりになったし、今に至るまで、さほど自転車に乗らない日々が続いている。私立の中高一貫校に通っていたが、多くの人が電車で通学してくるなか、家からそう遠くないという理由で片道30分ほどの自転車通学をしていた。おおよそが電車通学、ごくわずかが自転車通学。この状態で暮らした6年間で獲得したものとは何か。一緒に登校してくるか、一人で登校してくるか。校門を出てもしばらく一緒か、校門を出たらすぐ一人か。情報の仕入れ方が違う。吐き出し方が違う。

一緒に登校し、一緒に下校する人たちは、情報の共有が繰り返し行われている。昨日見たテレビの話、校内の噂、親の悪口、先輩から聞いたおもしろエピソード。自転車通学で、しかも、携帯電話を最後のほうまで持っていなかった自分は、それらを共有していなかったので、彼らの中で鮮度が早速薄くなってきた話を改めて聞くのにうんざりしており、独自の情報収集を心がけていた。それをしないと、出涸らしトークの受け皿になるだけだったのだ。学校に向かうまでの間に、スリーエフ、ポプラ、ヤマザキデイリーストアーといった、いわゆる主流ではないコンビニエンスストアがあり、この全てに立ち寄り、立ち読みをするのが中学から高校まで続く習慣になった。今、結果として物を書く仕事をしているのも、この3店舗の力は甚大である。週刊誌、ファッション誌、卑猥な雑誌、卑猥なのに週刊誌っぽく作ったものの結局卑猥になっている雑誌に目を通しながら、それらに書かれている内容を、あたかも昔から知っていたかのように話すことで、あいつは面白いネタをいくつも持っている、という印象を高めていった。

実際には、学校を出て二つ目の通りを左折してしばらくしたところにある、店員があらゆる積極性を失っているヤマザキデイリーストアーの雑誌売り場で仕入れてきたネタに過ぎなかった。浅香光代と野村沙知代の喧嘩、そして、それに加勢していく十勝花子や渡部絵美、彼女らに向けられたナンシー関の見解をそのまま話していた。面白がってもらった見解の多くは、ついさっき、ヤマザキデイリーストアーで仕込んだものである。「ググる」が存在しない時代には、自分なりの方法で優位に立つことができたのだ。借り物の知識でも、徹底的に借りればよかった。ミッチー・サッチー騒動の裏側をみんな知らなかった。自分は知っていた。というか、15分前に仕入れていた。売名行為、なんて覚えたての言葉で、十勝花子の姿勢を伝えたが、そもそも興味を示してくれる人は少なかった。しかし、誰も興味を示してくれる人がいない話をあえてする人、というのは、今でいう「ブランディング」のために有効だったのだ。

どうでもいいことを考える、という基礎体力を自転車通学で培った。舗装工事が完了したのに段差がそれなりに残っている道を、どれくらいのスピードで走ればカゴに入れたカバンが吹っ飛ぶか、数週間にわたって検証していた。誰に報告するでもない。昨日よりもうちょっとスピードを出せば、いよいよカバンがカゴから飛び出るかもしれない、昨日ようやく飛び出たからもう少しスピードを下げてみようと、調整し続けていた。

自分が保存してきた記憶の詳細って、確かめずに残しておけばいい。そう思いつつ、うっかりGoogleマップで調べてしまう。段差があった道はすっかり補整されており、ヤマザキデイリーストアーがあった場所は介護関係の施設になっていた。建物自体はコンビニのままなので、ポスターを貼りまくることで、良すぎる日当たりを部分的に遮っているようだ。昔コンビニだったところが、昔ここはコンビニでした、という主張を残している場所が好きだ。地域のみなさんに便利を提供するコンビニなのに潰れてしまったという特殊な敗北感を、その後を継いだ施設が消したくても消せていないのがいい。光景を想像してみる。かつての雑誌売り場にはベッドが横たわっていて、大きなガラスにペタペタ貼られたポスターの隙間から直射日光が差し込んでいるのだろうか。

チェーン店によっては、フランチャイズ契約をした後で、近い場所に何店舗も出店するドミナント戦略を展開し、厳しい条件でフランチャイズ店を疲弊させる手法もまかり通ってきた。でも、自分が通っていたコンビニ群は、おそらく、そんな戦略とは関係なく潰れていった。通った道を画面上で進んだり戻ったりする。部活動中に足をケガした時に清々しいほどの誤診を下した老人がやっていた整形外科がまだある。70歳くらいに思えた老人が90歳でも現役続行中とは思えないから、次世代が継いでいるのか、それとも、自分が誤診を下された時には、まだ50歳くらいだったのだろうか。

思春期の命題は、周囲とのズレをどう感知するか、どう修正するか、あるいは放置するかにある。すぐに一人になれてしまう自転車通学は、ズレを同調によって半ば強制的に修正させられる機会がない。その代わり、次に何をプレゼンしよう、今日はこれで攻めていこうというプランを練る時間が生まれる。１２０分テープに録音しておいた深夜ラジオを聴きながら、披露できるくだらないことの限界値を探る。２０００年頃、90年代に発売されていた別冊宝島シリーズが新古書店に安価で出回っており、それらを買い求めては、自分の知らないところで独特の世界が林立していると知る。新古書店にあるのは、少し前のブーム、少し前の社会の空気だ。そこにある知識をあたかも自分が長年追いかけていたかのように話す。この手のウソがギリギリ機能する思春期でよかったのか悪かったのかは、誰だって、1回きりしか体験できないのだから、評定を下せない。

中途半端な中年世代、つまり、今の自分たちくらいの世代は、「あの時、ＳＮＳがあったら死にたくなっていただろうな」なんて気安く言うのだが、ＳＮＳがなかったあの時だって、健やかに生きようと思えた日だけではなくて、たとえば、あたかも自分が前々から知っているかのように話していた話のソースをピンポイントで指摘された日には、顔から火が出る思いをした。当時はまだ網棚に読み終えた雑誌を捨てるサラリーマンが多かったから、それを収集することを覚えた友人が、こちらの話と照らし合わせる作業をした。培ってきたオリジナリティが崩される瞬間だったが、そんなのたまたまだと切り抜けた。

1990年代後半を、メディアが個人に近づき始めた時代と分析するのは無難だが、無難だからといって避ける必要もない。1996年、『進め！電波少年』の企画でユーラシア大陸を横断した猿岩石がいよいよ日本に帰ってきた。帰国した2人が、目隠しにヘッドフォンをされた状態で運ばれたのは西武球場で、家から近かった自分はいそいそと見に出かけて大観衆の一人になった。土曜日だったので、授業を終えて駆けつけたのだが、その場で何を思ったかといえば、早く週が明けて、その場で見てきたものを伝えたい、だった。なんたって、いつも、コンビニで仕入れている情報とは違うものだから。

当時、『東京ストリートニュース！』という雑誌が刊行されており、そこには、池袋、渋谷、新宿、吉祥寺あたりに生息している、カッコいい高校生が目一杯掲載されていた。素人が、あたかも素人ではないかのような場所に連れ出される勢いは、都下の高校にもなだれ込んでおり、『東京ストリートニュース！』も立ち読みしていた朝、その雑誌の中に、同級生の何人かを見つけた。ヤマザキデイリーストアーではなく、ポプラだったはずだが、雑誌を読むほうではなく、見られるほうに同級生がいることに動揺してしまった。他校の通学バッグを持つのが流行っており、なかでも昭和第一高校のバッグを持っているのがかっこいいとされていた。しかし、誰もが持てるものではなく、校内でも発信力のある、それこそそういった雑誌に出られるようなタイプの同級生だけがどこかから仕入れてきていた。転売が問題視されて短期間で禁止されたが、短期間に持っていた一人が、「スーパー高校生」として今度はテレビに映ったという情報を耳にした。目指してもいないのに、悔しさが募った。

こちらは普通のカバンを使っていて、そのカバンがどれくらいの段差で落っこちるかを自転車の速度で計測していたくらいだから、徐々に拡大していく情報格差というか、「やってること格差」が身に沁みていく。匿名掲示板の「2ちゃんねる」が開設されたのは1999年5月で、パソコン通信に長けている友人の家で見せてもらったが、自分の知らない圧倒的な世界を持っていることにも嫉妬した。当時、「テレビに映った」同級生の周辺が、バーバリーのマフラーと、アニエスベーの小物を校内で流行らせ、そこへの抵抗運動が求められた。いや、誰も求めてはいなかったのだが、求められていると信じこんで抵抗していた。無地の黒か紺のバッグに、白いチョークで「アニエスベー」とカタカナで書いた友人がいた。その友人こそ、多摩湖の堤防で別れた、最後まで携帯を買わなかった友人だった。断片的な記憶を刺激したら、その事実がはっきりとした輪郭で浮き上がってきた。あれは実に勇ましい抵抗だった。黒板消しで「アニエスベー」を消そうとしたら、全体的に汚れてしまい、泣きそうな顔で笑っていた。

2001年の秋にはアメリカ同時多発テロが起きる。その半年前の春に高校を卒業していた。情報が入りきらないギリギリの世代だったという自覚は、自慢にも卑下にもならないのだが、今、家の近くを自転車で走り抜ける高校生が、走りながら何とかしてスマホをいじっている様子を見て、この勢いであの時の段差に突っ込めばカバンが落ちるかな、なんてチャレンジしていた事実を思い出せるのは、どちらかというと自己肯定に使える。

音楽業界にとって1998年はCDがもっとも売れた年で、そこから徐々に下降していく。その時期に高校生だった自分たちの世代は、音楽業界がパッケージ商品をどの時代より売りさばいていた時期と、自分の判断でようやく好きな音源を買えるようになった時期がぶつかったことになる。あるCDショップで会員登録すると、誕生月に500円の割引券が送られてきた。そのCDショップがどこにあるかといえば、学校から北に5キロ、家から東に4キロという距離にあったから、学校帰りに、わざわざ10キロほど自転車を走らせて500円券を使っていた。その事実を思い返すとき、この金銭感覚を忘れてはいけないと思うのだが、忘れるものは忘れてしまうし、思い出したところで取り戻せるわけでもない。

好景気だったからか、レコード会社がCDショップに販促物を大量に送りつけており、レジ横に、丸めた状態のポスターが傘立てのような入れものに差さっていた。黒い太マジックによる殴り書きで「お買い上げの方は自由にお持ち帰りください」と書かれていたが、「お買い上げ」の基準は示されていない。百数十円のカセットテープをレジに差し出し、支払いを終え、その場でかがみ込み、時間をかけて物色、ポスターを複数枚持って帰っていた。何枚まで、とは書いていなかった。おかげで自室はあたかもCDショップのようにポスターだらけになったのだが、洋楽ロック、とりわけヘヴィメタル系のポスターを所狭しと貼っていたので、親にはすこぶる評判が悪かった。ロックという存在が親から毛嫌いされていた1970年や80年代頃の映画に出てくる少年の部屋のようになり、その模倣が嬉しかった。

親からの評判の悪さによって自意識を強化される、というベタなスパイラルの中にいる自覚を持ちつつ、貼れる限り貼っていこうと思っていたのだが、ここの画鋲が外れてしまったら、寝ている自分に刺さる可能性が残るという部分には貼らず、そこだけ壁の白さが保たれていた。その状況を客観視しながら自分の真面目さに失笑する。貼りまくる感じと、危ないものは危ないと理解していた感じは、いかにも自分の思春期の様相である。

誕生月の割引券が届くのは、やや離れた地元のCDショップだけではない。西新宿の奥まったところにある雑居ビルからも届く。300円だかの割引券にCD引換券までついている。引き換えられるCDとは何か。当時、ブートレッグCDを取り扱うお店が西新宿を中心に点在していた。主に、海外のロックバンドのライブを違法に録音したもので、それらが5

000円前後で売られていた。その売れ残りを1枚あげる、というのだ。隠し撮りされたVHSも販売されており、店によってはテレビデオが複数台置かれ、視聴できるようになっていた。ビデオのラベルに「プロショット」(現地のTVで放送されたものなどが多い)か、「オーディエンスショット」(文字通り観客による隠し撮り)かの表記があり、そのクオリティによってABCランクが明記されていた。とはいえ、「プロショット・A」が正規品に近いクオリティかと言えばまったくそんなことはなく、ダビングする際に生じたのか、画面の真ん中に目障りな揺れる横線が入ったままになっていたり、何より音質が劣悪だったりする素材が多かった。通常の映像作品よりも高価な買い物になるのだから、という配慮もあってか、テレビデオでの視聴が許されていたが、大半の客は買うものを吟味するのではなく、その場でライブを堪能する客ばかりで、自分もその一員だった。映像の中には、ステージがかろうじて隅っこに映っているだけの、ほとんど観客の様子ばかりが見える、スタジアムのサイド席からの映像もあり、その映像に舌打ちする自分に酔いしれていた。「こんなんじゃ、商品として成立しないだろう」と嘆いた自分だが、そもそも商品として成立してはいけないものだったし、商品として購入する気はちっともなかったのである。イリーガルな場所にいる興奮を自覚するように堪能していた。

送られてきたハガキをぶっきら棒な店員に差し出すと、ここから1枚選んでくださいと言われる。レジ脇にワゴンがあり、プラスチックケースにさえ入っていない、簡素なビニールケースに収められたCDが雑に散らばっている。盤面に印字されているバンド名・年月・会場からあたりをつけて1枚もらう。正規ルートではない販売なのに、レジの周辺には来日アーティストが訪問した模様の写真が数多く貼られており、隠し録りされた自分たちの演奏を収めた商品を嬉しそうに持っている。その写真を焼き増ししたものを客にプレゼントしていた。アーティストはまさかそんな使われ方をしているとは思っていないだろう。

もらったCDを聴いてみる。劣悪にも程がある音質で、かろうじて奥のほうで演奏している様子が聴こえる。近くの客の雑談ばかり拾っており、曲の間も減らず口を叩き、バンドの代表曲となれば、雑談を止めて、外れた音程のまま歌い上げてみせる。ライブの後半ともなると、目の前で行われているライブについての反応でさえなく、乏しいリスニング力でも、そこにいない人の悪口を言っているとわかる。ゲラゲラ笑う奥のほうで、「おまえら、まだまだいけるか!」と煽っているヴォーカリストのMCが聞こえる。それを聞いて、「あったりめーだろ、どんどんやれ（武田訳）」と叫んでいる。

失望しながらも、そのCDを繰り返し聴く。その手の音源を持っていて、それを聴き続けているというのは、近しい友人の誰にもない、自分だけが知る特別な情報そのものだった。ことあるごとに西新宿へ足を運び、ちっとも売れずに値下げされた数百円のCDを選び抜き、あらかじめ失敗が約束されている戦利品を堪能する。この手のブートレッグ店に必ず置かれていた、ブートレッグを探究する専門誌があり、めくると、ライターを募集していた。19歳の時、その編集部に向けて、ルーズリーフで実に長い手紙を書いた結果、編集長から「コラム枠を用意した」と連絡がきた。初回の原稿を書いた時点ではメールアドレスを取得していなかったので、代々木の雑居ビルにある編集部まで原稿の入ったフロッピーを持参した。マンションの一室にある編集部からは西新宿のブートレッグ店と同じ匂いがして、なぜって、そこにはブートレッグのCDが積み上げられていた。いかにも羨ましそうに奥のほうを眺めていると、編集長がいくつか見繕って渡してくれた。それは、ワゴンで売られているものではなく、ちゃんとした隠し録りだった。西新宿にある書店は、この雑誌「beatleg magazine」を重点的に積んでいたから、翌月には自分の原稿が掲載されたものが並ぶのだと興奮した。事実、翌月の興奮は、以降にはなかなか感じられない特別なものになった。指先でなぞるように何度も自分のコラムを開いた。初回のコラムが手元にある。プロフィールに「19歳・男」と記された原稿はこのように始まる。いかんせん青臭いが、その主張に一理あると思えるのは自分が書いたのだから当然。

「『若者』という言葉だけで、全てを片付けられてしまう時代になった。大人が若者を怖がるのは、若者の思考回路がどうも摑めないからだという。誰しもが初日の出を観るために、暴走するワケではないし、誰しもがバッグの中に刃物を潜めているワケではない。TVの中でモザイクをかけられた少年の素顔は、決して僕等ではない。アレはアレで別物なのだ。だが大人は、その判断を許そうとしない。僕なんかから見ると、大人は、若者を否定することでしか、自分を正当化できなくなったのではないかと思えて、悲しくなってくる。『最近の若者は…』と苦言を呈しているつもりかも知れないが、まずは、若者が実際に何を思い、何を聴き、何を語ろうとしているのかを知る必要があるのではないか」

偉そう。でも、編集者は、この偉そうなのを求めていたはず。若者にしろ、大人にしろ、ひとつの袋に詰め込まれる作為への嫌悪感を保っておかないと、すぐに空気に乗せられてしまう。

イリーガルなもの、あくまでも概念としてではあるが、許されないもの・状態との接点は、育つ時代によって異なる。学校近くの公衆便所で喫煙して捕まる。ゲームセンターに出入りして先生に発見される。他校生との不純異性交遊が発覚して騒動になる。どれも個人的には無縁だったが、認められていない・許されていない行為に及ぶ、それがバレて反省を余儀なくされているという状態が自分にはなかったので羨ましさがあった。つまり、何かに違反してみたいという欲を持て余していた。

その欲って、世代を問わない普遍的な欲でもある。イリーガルの拠り所を世代ごとに問えば、その縦軸は、見たことのない通史に仕上がるかもしれない。してはいけないことをしたい欲って、おおよそ人間の体の中にとどまったままになるが、総量は時代ごとに変わらないのではないか。自分にとっては、「西新宿を知っている、通っている」という事実が、体内に備蓄されてきた欲の放出につながっていた。相当力んで「大人」を挑発するコラムを書いたのはそのせいなのだろう。日本全国のレコード店を網羅した『レコードマップ』の1999年度版を開くと、「新宿西口」のページに明記されている店は57店舗。ダイカンプラザ、大黒ビル、オークプラザビル、会田西新宿ビル、千徳ビル、いかにも雑居ビルといったビル名に心躍るが、この手の雑居ビルにブートレッグ店が点在していた。通いつめていたビデオ店の紹介欄には、会員になると夏と冬に会員優待セールがある、と書かれている。そうか、誕生月ではなく、年に2回の優待セールだったのかもしれない。

『レコードマップ』を持っていくと割引があります、ただし、一回きりです、という情報もいくつかの店舗に添えられており、この本を開きながら、ベストなルートをあらかじめ調べていた。歌舞伎町に広がる、より直接的な危うさよりも、線路を挟んだ西新宿の雑居ビルに点在していた危うさを受け止めていた。自分だけの趣味を持つと、社会の雰囲気との距離感が計測しやすくなる。あっちはそうでも、こっちはこうだぜと、「こっち」がはっきりと生まれるのだ。後に出版社に就職すると、年配者から方々で学生運動のあれこれを語られたが、「あっちではなく自分はこっちにいる」というポジションが生まれやすかったのだろうなと冷静に受け止めていた。

2001年9月11日、2棟の世界貿易センターに飛行機が突っ込むなど、同時多発テロが起きた。『ニュースステーション』で、貿易センタービルから黒煙が上がっている様子が速報され、そこには「テロ」といった文字はなく、ニューヨークの高層ビルに飛行機が衝突し、ビルが炎上している、と書かれていた。「テロの可能性もある」とのアナウンスが挟まれるものの、断定を避けながら、飛行機がビルに突っ込んでいく様子が繰り返し報じられた。

それからわずか10日後に、全米4大ネットワークなどで米国同時多発テロ犠牲者追悼チャリティー番組『アメリカ：ア・トリビュート・トゥ・ヒーローズ』が放送され、ブルース・スプリングスティーンが、我が町が廃墟になってしまった、と歌い、U2が世界平和を歌い、ビリー・ジョエルが自分の心はニューヨークにある、と歌った。その国を思う姿勢を見て素直に感激していたのだが、後になって振り返れば、この企画自体、なかなか一方的な被害者感情と愛国心の醸成から発動したものであって、当時、放送局によっては規制をかけられていたジョン・レノンの「イマジン」をわざわざ歌い上げたニール・ヤングのような、疑義を含む行動に惹かれなければならなかったが、その意味に気づくのはだいぶ後になってから。それこそ「beatleg」で辛辣な批判記事を目にしてからだった。

ロックミュージシャンたちが正義心の増幅に活用された、と意地悪に分析するのは、その後のジョージ・ブッシュの横暴、つまり、被害者感情を活用して自国の利益を最大化させた手口を知ったからだろう。２００4年にはパンクロックバンドが集まり、反ブッシュを直接的に宣言したアルバム『Rock Against Bush』をリリースするなどしたが、当時、自分が追いかけていた、いわゆるロッククラシックに分類される大御所たちや、より激しい憎悪を体現する音楽であるヘヴィメタルのミュージシャンは、そういう怒りをあまり表そうとはしなかった。むしろ、勢いに任せた愛国的なものにスムーズに乗っかっていた。

西新宿で感じていた、イリーガルなものとの出会いは、それ自体は確かにイリーガルなものだったが、そこで流れている音楽、観客の雑談越しにうっすら聴こえる演奏をする人たちは、社会の激変に対応しよう、抵抗しようとしたわけではなかった。イリーガルな音源を仕入れていた自分には、そのスタンスとして、既存の売れ筋ポップスの態度を心底バカにしていたのだが、実のところ、自分が聴いている音楽にも、そこまで批評性が伴っていなかったのである。

今、すっかりブートレッグ店が一掃されてしまった西新宿を歩く度に、雑居ビルの入り口を覗き、入っている店舗や会社を確かめる。この2階にデスメタル専門の店があったはず。

自分の原稿が掲載された雑誌を何度も確かめに行った書店はドラッグストアになった。

編集長と決めた自分のコラムのタイトルは「Have Passion!」。直訳すれば、「感情を持て！」。自分と編集長、どちらが命名したんだったか。いかにも青臭いタイトルだが、その青臭さを保つのって重要なことでしょうと思っていた。その連載は、雑誌が休刊するまで十数年間続いた。編集長と営業担当の2名で黒字運営していたが、営業担当の男性が急逝し、刊行がままならなくなった。没後、その男性の本棚の写真を編集長に見せてもらったのだが、そこには拙著がさしこまれてあった。認めてくれていたのだ、と理解した。先述の、抵抗に酔いしれたがる文章を読み返すと、いかにも思春期特有って感じではあるのだが、その時代性ならではの掛け合わせでもあって、その時にしか書けない筆圧ではあった。

調整さん

2001年8月13日に、当時の小泉純一郎首相が靖国神社に参拝したのだが、終戦記念日ではなく、2日前の13日に参拝した、というあたりが、なぜかいまだに豪快なキャラクターとして認識されている元首相の、実際の「らしさ」である。右派政治家の靖国神社への固執、「それでもオレは行ったぞ」と誇らしげになるために活用されている参拝には辟易するが、内閣総理大臣としてではなく個人として行っただとか、日にちをずらしたのでその点ご配慮いただければ、という態度からは、身内には尊大でありたいんだな、でも、部外者に叱られたくはないんだな、という姿勢を嗅ぎ取ってしまう。1985年に参拝した中曽根康弘首相は公費で供花料を支払ったが、小泉首相は献花料を私費で支払った。政治家としてのスタンスを表明しに行く儀式と化していること自体、そこに刻まれている歴史の全体を直視していない。参拝の賛否を問う前に(私は否)、参拝の狙いを問いたくなる。熱烈な支持者に

「自分、本気っす」と表明するアイテムと化している。

大人数のスケジュールを調整しなければならない場合に使われるサイトに「調整さん」がある。たとえば6月の第4週あたりで打ち合わせをしたいとする。代表者から送られてきた「調整さん」が発行したURLを開くと、複数の日時が提示されており、それぞれ「○・△・×」を選んで書き込めるようになっている。全員が○になれば、その日に決まるのだが、一人を除く皆が○の場合、×をつけた人のランクというのか、重要度で、開催の可否が決まる。一人だけが×の日と、二人が△をつけている日が並んでいる場合、どちらの日に開催されるか。真っ先に問われるのは、×をつけたのが誰であるかだ。「調整さん」の仕組みは、この繊細な、あるいは露骨な力関係を調整しようとはしない。はなから調整するつもりなんてないのだ。結局、その場に流れている独特の空気で決まっていく。調整のお手伝いはするものの、最後に調整するのはあなたたちですからね、という諦念を持ち続ける「調整さん」の姿勢が嫌いではない。調整力がシステムによって増したところで、最終的な判断は空気の読み合いになるのだ。だったら、最初から、そいつの都合を聞いておけよ、と「調整さん」のキャラクターを恨みったらしく眺めてはいけない。「調整さん」は別に悪くないし、自らの無責任さを自覚した上で動いている。AIが最後まで達成できないのは、「いや、立場的には山田部長のほうが上なんだけど、2課の佐藤さんが8年前に定年退職した伊藤さんを連れてきてアドバイスをもらったらどうかと言っていて、伊藤さんが出られるのが5日の14時と6日の16時しかないんだって。山田部長が両日厳しいみたいなんだけど、この日、山田部長が会う先方の予定もまだフィックスしてなくて、その場合は5日にできるかも」という状態の調整だろう。

大人になると、「決まらない」という状態を繰り返し味わう。大人になる前って、もっとちゃんとスムーズに決まっていた。「いいよ、アイツは」といった即断がイジメなどの極端な状況を生んだ可能性は否定できないが、大人になると頻繁に巻き込まれる「ペンディング」という非生産的なアレは、ここまで点在していなかった。政治情勢を伝える新聞記事で「潮目が変わった」といった表現を見かける。潮目が変わらないように守ったり隠したりする人たちと、潮目を変えようと試みる人たちがいて、その潮目の変化を観察する人たちがいる。「調整さん」でいう△の状態、飲み会で最も嫌われる「行けたら行く」という曖昧な返事のよう。

△の状態に慣れるというのが大人になるということなのか。だって、飲み会だけではなく社会全体で起きていて、とりわけ歴史問題への強い興味や知識を持っていたわけではない大学1年生の自分にとっては、小泉純一郎が15日には参拝せずにあれこれ言われている事実は、そういう半端な調整、「行けたら行く」的な判断に見えたのだ。その数ヵ月前、大相撲

夏場所で、武蔵丸との優勝決定戦に臨んだ貴乃花が怪我を抱えながらも気迫で勝利すると、土俵にあがった小泉が「痛みに耐えてよく頑張った！　感動した！」と叫び、それは名言として親しまれた。小泉の記憶のされ方の代表格といえば、良くも悪くも「ワンフレーズポリティクス」を突き進めた人、との印象が強いが、自分にとっては、顔色をうかがいながら相手の機嫌を調整する人であって、政界から離れ、しばらくしてから脱原発を本格的に訴えるようになった様子なども、あらかじめ自分の頭の中にあった印象と対応する。とにかくわかりやすさに走るのだ。

２００１年、アメリカ大統領の別荘「キャンプデービッド」に招かれた小泉は、ブッシュから革製のジャンパーと自分のサインの入った野球ボールをもらうと、ブッシュにそのボールを投げた。ブッシュがそれをキャッチし、談笑するシーンが繰り返し放送された。アメリカ同時多発テロ後には、もらったボールのお返しのように、インド洋に海上自衛隊を派遣した。２００６年には、エルヴィス・プレスリーが住んだ「グレースランド」に招かれ、ブッシュの前でサングラスをかけながら、お気に入りのエルヴィス・プレスリーの楽曲の一節を歌い上げた。当時の映像を見て、周囲の困惑を再確認。プレスリーの娘、リサ・マリー・プレスリーの笑顔の奥にあった「何、この人？」という冷たさに気づいていないように見えた小泉は、思ったことをハッキリ言う人ではなく、顔色をうかがえない「調整さん」だった。

『私の好きなエルヴィス〜小泉純一郎選曲　エルヴィス・チャリティ・アルバム』なるアルバムも出ていたが、音楽雑誌に原稿を書き始めたばかりの自分は思いっきり嫌悪したし、その嫌悪、つまり、政治家が安直にロックを語る動きには敏感に反応し続けた。

２０１２年、政権与党だった民主党（当時）の野田佳彦はアメリカと日本の関係について、「日本はポール・マッカートニーだ。ポールのいないビートルズはあり得ない」「米国はジョン・レノンだ。この2人がきちっとハーモニーしなければいけない」と述べたのだが、ポールってジョンにこんなに媚びていたっけと、家にあるビートルズ本をめくってみても、蜜月を保つために執拗に歩み寄るポールの姿なんて残念ながらどこにも見当たらないのだった。以降の首相も、ゴルフで接待し、なんと、ファーストネームで呼び合う仲になりました、2ショットも撮りましたと嬉しそうに報告するニュースに助けられながら、機嫌を調整するマンを続けている。自分とその周辺だけではなく、なんとなく社会や世界が見えるようになった途端、政治とは基本的に不審な目で見つめるものと植えつけたのは、それを運営する人たちが、どこまでも自分に甘いからで、国民ではなく、自分と周辺のために動いている人たちだと知ったのが自分の政治への目覚めだった。自分と周辺のために動く、でも、そればかりではいけないよね、というのは、自分の幼少期の総括だったのに、そればかりやっていたのだ。

小泉政権下で外務大臣を務めていたのが田中眞紀子で、外務省を「伏魔殿」と呼び、小泉の靖国参拝についても、「あの人はホントにタチが悪い」などと否定、物言う大臣としてお茶の間の人気者にもなった。外務省人事についてあれこれ揉めている最中、全米ミサイル防衛構想の説明のために来日していたアメリカのアーミテージ副長官との会談を直前になってキャンセル、(就任以降)止まらない列車に乗っているような具合で、どんどんスケジュールが入ってきており、ちょうどその状態のときに、本当に心身ともにえらくパニック状態になっていた、といった弁解をした。その弁解はちっとも弁解になっていないのだが、政治の仕組みをさほど知らなかった自分にとってみれば、媚びるよりも突っぱねるほうが力強く見えたのは確かではあった。少なくとも「調整さん」ではなかったのだ。

社会という存在をそれなりに意識し始めた時に、そこでどのような政治が行われていたかというのは、人格形成・思想形成に大きな影響力を持つはず。小泉、田中、そして竹中平蔵経済財政政策担当大臣という並びに、その社会を見つけていた自分は、対米従属・自己責任・新自由主義という権力者の投げやりを(リサ・マリー・プレスリーのように)冷たい目で見ていたし、あれから20年経とうとも影響力をどうにかして保とうとする竹中の存在を、一時期、「インフルエンサー」と呼ばれるような若者たちのいくらかが無条件で尊敬していたのを見つけて、自分の確かな加齢を確認したものである。ハッキリとした言葉遣いと曖昧な責任回避は両立するという実感は、以降の政治を見定める上でも共通するのだが、曖昧な言葉をハッキリとした言葉であるかのように見せる（例：「〇〇までに決断をしたい、と考えているところでございます」）技術というのは、まだこの頃は薄かったはずなので、自分の政治への不信感の増幅は、この始点と連関している。

田中眞紀子のワイドショー受けを狙った振る舞いは、当時巻き起こっていた浅香光代と野村沙知代によるミッチー・サッチー騒動の流れと近い位置にあり、「うるさいオバさん」を面白おかしく消費するワイドショーの流れに率先して組み込まれようとした田中眞紀子は、その消費のされ方を熟知し、許容していた。当時、テレビに充満した「うるさいオバさん」が作り出す雰囲気、というのは、もちろん男性が主導して作ったものであり、このところ、その仕組みがようやく否定的に振り返られるようにもなったが、物怖じしない姿勢をポップに消費するワイドショーは、政治の仕組みをコミカルに笑う役割を担ってはいた。

ワイドショー内閣とも言われていたが、そもそも政治はワイドショー的なものではないかというのが当時の自分の感覚であって、その感覚はまだ続いている。政治家はいつだって大きな言葉を用い、国民を一方向に流そうとする。ブッシュは、2002年1月、一般教書演説の中で、北朝鮮・イラン・イラクを「テロリストと結託して世界の平和を脅かすために武装している悪の枢軸である」とした。昨今、「正義の暴走」といった言われ方をあちこちで見聞きする。正義と悪を区分けして、正義に酔いしれるだけでいいのだろうか、というアレだ。この言い分は、本来の正義まで軽視する傾向を生むので慎重に取り扱わなければならないが、自分が社会に接した時から、正義というのはこうして暴走しているものだと知らされていたし、その正義は露骨で陳腐だったが、ここからさらに悪化していくのだった。

小泉の「調整さん」っぷりよりも、ワイドショー的なガヤガヤを政治に持ち込んだ田中眞紀子の手法に勢いがあったと把握している自分の頭は、むろん、その前後に起きた田中による多くの不手際を記憶から消している疑いもあるのだが、政治への疑念を育ててはくれた。安倍晋三がロシアのプーチン大統領に「ウラジーミル」と呼びかけて失笑されたのは記憶に新しいが、20年前の小泉のキャッチボールやプレスリーだって、全く同じ性質を持っていた。変わっていないのだが、変わらなさの性質を実感できるというのは、自分たち世代の政治の入り口がアレだったおかげである。調整体質か、ぶっちゃけ体質か、そのどちらがいいのか、どちらが悪いのか、ではなく、その両方を兼ね備えているのが政治ってものらしいと早めに知れたのだ。

ハイタッチ

多摩川の丸子橋付近で、「タマちゃん」と名付けられたアゴヒゲアザラシが発見されたのと、日韓共催サッカーワールドカップが開催されたのは同じ２００２年である。では、その二つを時系列で並べるとどちらが先でしょうか、との珍奇なクイズを出されたところで、そもそもそんなクイズに答えたくもないだろうが、ヒントは、タマちゃんが目撃された河川敷で「タマちゃんアイス」を売りさばくアイスクリーム屋さんが出現していたとの事実である。多くの人が、クソ暑いなかタマちゃんを見に来ていた。ワールドカップが開催されていたのは5月末から6月にかけてだから、ワールドカップ→タマちゃんの順番が正しい。

誰も問うはずがないクイズを私が間違えようがないのは、コラムニスト・ナンシー関が2002年6月に亡くなっているからで、テレビの中に映し出される世相を嗅ぎ取るコラムを好んで読んでいた自分は、ナンシー関がタマちゃんを語っていない事実が頭に叩き込まれている。多摩川に現れたタマちゃんは、一度姿を消した後、横浜の鶴見川などいくつかの川に出没した。当時の扇千景国土交通大臣は、タマちゃんについて、「自然のものは自然に」と述べて特段の対応をしなかったのだが、連日のようにテレビカメラがアザラシを追いかけ回していた様子は、ようやくおさまったミッチー・サッチー騒動の時に登場し続けた、敵だ味方だと援護射撃する芸能人を追いかけ回す芸能レポーターの慌ただしさを思い起こさせた。この年の新語・流行語大賞を受賞した「タマちゃん」について、タマちゃんを撮影した映像をテレビ局に持ち込んだ男性と同時に受賞したのが、映像を受け取って報じた『スーパーニュース』（フジテレビ系）のレポーターで、「タマちゃん」と命名した黒住祐子だった。

9月には、宮城県歌津町（現・南三陸町）の伊里前川にワモンアザラシの子ども「ウタちゃん」も現れていたとの情報も残っているが、さすがに記憶がない。「ウタちゃんアイス」は売られたのだろうか。9月の東北となれば、もう、そんな気候ではなかったのだろうか。どうでもいいことこそ忘れないように心がけて生きてきたのだが、やはり、どうでもいいことは忘れてしまう。2002年9月といえば、小泉純一郎首相と金正日国防委員長が「日朝平壌宣言」に署名した月だが、ウタちゃんが現れたのは、その前だったのか、後だったのか。

この頃、麻布十番にある映像制作会社で働いていた。アルバイト雇用ではあったものの、大学にはほとんど行かず、朝から晩まで、ひどい時には、朝から翌日の昼まで、夜から次の次の朝まで、といった撮影にも駆り出されていた。編集スタジオには、映像素材に囲まれた中に革の剝がれたソファーがあり、そこにはしょっちゅう、くたびれ果てたディレクターが寝ていた。簡単な編集作業を任されていたので、素材をそれなりの音量で再生すると、「うわぁ！」とソファーから飛び起きたディレクターが素材の山から顔を出し、「おい、今、何時？」と聞かれたので、「〇時っすよ」と答えると、「やばい！」とスタジオを飛び出ていった。飛び出した勢いで、積み上げられていた映像素材が雪崩を起こしてしまったので、それを元通りに戻しておくと、後になって、順番がバラバラになっていたと叱責される。同じ形状のテープをそのまま戻しただけなのだが、ケースを開けるとテープに番号が振ってあり、それに基づいて積み直しておかなければならなかったらしい。理不尽の極みである。だが、叱責したディレクターも、もっと上の人によく叱責されていたので、自分を叱責したくもなるのだろう、と耐え抜いていた。もっともよろしくない耐え抜き方である。

時折、自分自身がそのソファーで夜を越すこともあり、ちょうど頭を乗せる肘掛けのところが剝げていたのだが、歴々の人々の怨念が込められているというか、具体的には、スポンジの中に謎の毛がいくつも混じり込んでいたのだが、コピー用紙を敷いて眠りこけて朝を迎えると、なんだか一丁前の業界人になった気がしたものである。編集室のクーラーの設定温度はいつも18度だったが、若さで乗り越えていた自分はまだしも、今の自分と同じくらいの年齢だったはずのディレクターたちは、疲労困憊の中、18度の部屋で朝を迎え、平然と仕事を続けていた。危うい労働形態で次々と人が去っていったが、そういう激流の中に自分が混ざり込んでいる自負は、大学でそれっぽいこと（サークル活動・合コン）を繰り返している連中との差異化には大いに役立った。こっちは、ソファーで夜を明かしているんだ、という心の中での自慢と励ましが、自分の軸足として大げさに機能していた。

日韓ワールドカップの日本戦が行われていた日には六本木にいた。この大会は、数多くのフーリガンがヨーロッパから押し寄せるのではないかと心配されていたが、蓋を開けてみるともっとも大騒ぎをしたのは、好ゲームに興奮し続けた日本チームのサポーターだった。開催国のため、予選は免除され、グループリーグ第1戦のベルギー戦を2—2で引き分け、第2戦のロシア戦は1—0で勝利、続いて、チュニジア戦も2—0で勝利し、決勝トーナメント進出を果たした。そのチュニジア戦勝利の夜だったと思うが、外苑東通りの歩道が、サムライブルーのユニフォームでごった返していた。交差点付近に向かう人と、交差点付近からやってくる人の列はキチンと律儀に分かれており、興奮の中にあってもルールが守られている様子を、忙しぶっていた自分は滑稽に眺めていた。その、「整列してるけど興奮、興奮してるけど整列」の流れに巻き込まれながら移動していると、数十メートル先から、突出して大きな雄叫びのような声が聞こえ、その雄叫びに反応した人々が精一杯の大声を出し合い、行き交う人たちの間でハイタッチが始まった。そのハイタッチによって、これまでキッチリ分かれていた列が瞬時に乱れ、自由気ままにハイタッチをし、興奮のあまり抱き合う人たちもいた。

整列から混乱に至るまでの数分をしっかり記憶しているのは、その中にいながらも混乱に巻き込まれないようにしていたから。制作会社には六本木界隈に関連会社が数多くあったので、アルバイトの自分は、映像素材を厚手の紙袋に入れてあちこちへ運搬する役回りを担わされていた。当時は、今とは異なり、重い映像データをメール等でやりとりすることはできなかったので、映像を微調整するたびにＶＨＳに保存し、そのＶＨＳを関連会社へ持って行き、会社の偉い人の手が空くのを待ってチェックしてもらう、というタスクが頻繁にあった。通りに面した細長いビルの１フロアにある会社では、フロアの半分ほどを社長室が占めており、社長室を出ると、社員たちが養鶏場のように狭いデスクにひしめき合っていた。社長はＶＨＳを見ながら、ＯＫなりＮＧなりを電話で伝えているのだが、伝え終わった後にも別件について延々と話し込んでいるので、その電話が終わるのを待ち、「ＯＫ」と言われるまで待たなければ安心できない。そこで働いている人は、おまえはいつまでそこにいるんだ、という目で見てくるし、電話を切った社長は「(電話で) ＯＫって言っただろ」と不機嫌に告げてくる。かといって、電話の内容から察して勝手に判断するのも危うい。それを怠り、大目玉を食らった日もあったので、ＶＨＳを持って行き確認してもらう、という仕事は、やりたくない仕事の最上位に入っていた。

夜遅く、ＶＨＳを確認してもらう最中に巻き込まれたハイタッチに参加するはずもなく、その流れを無視しながら直進していると、顔を紅潮させている若者数名から「どうしてやらねぇんだよ！」との声が上がった。片方の手にはＶＨＳの入った袋があるので、それを軽く持ち上げてアピールしたのだが、とにかくこちらの仏頂面が気に入らなかったらしく、「どうしてやらねぇんだよ！」が繰り返される。すると、その周囲の人たちが、一斉にこちらを向く。新たに声をあげる人はさほどいないが、とにかく視線が自分に集中する。

逃げるようにして小道に逸れたのだが、あの時の、雰囲気が一気に変わり、振る舞いも変化し、ある対象への不快の表明が強まっていく勢いは忘れられない。それまでも、六本木の深夜帯を歩くのは愉快ではなかったが、その日は、顔ぶれからしても優等生的な感じで、むしろ、日頃の怖さを和らげているくらいの雰囲気だったものの、ハイタッチが始まってから標的にされるまでの数分の変貌は、人間が集団となったときの脆さを教えてくれた。その後、あちこちで「集団は暴走しやすい」といった性向を聞くたびに、六本木の交差点付近の光景を思い出す。制作会社のソファーで仮眠していた人々は、これまで出会ってきた人たちのなかでも極めて特異な存在ではあったのだが、そういう人たちよりも普通の人たちのほうが怖かった。集団になると人は何をするかわからない、これは自分の中で、デンジャラスな六本木での実写版として色濃く記憶されている。

香山リカが「ぷちナショナリズム」なる言葉を生んだのがこの頃で、この「ぷち」をいかに感じ取ったかは人それぞれだろうが、集団性が行き着く場所として堂々と「国」が用意されるようになった経験として、日韓ワールドカップの存在は大きかった。六本木交差点付近には夜遅くまでやっている青山ブックセンターとあおい書店があった。終電を逃すと、朝までやっていた青山ブックセンターによく行った。この年か翌年あたり、やたらと「日本語本」ブームが起きていたと記憶しており、改めて調べ直してみたら、この前年に齋藤孝『声に出して読みたい日本語』がベストセラーとなり、この2002年には、柴田武『常識として知っておきたい日本語』、村松暎『日本語力をつける「四字熟語」の本』、大島清『思い出して使ってみたい美しい日本語』などが次々と発売されていた。

それは決して、日本人としてのアイデンティティを確かめるために読まれたわけではなかったのだろうが、現時点からこの地点を振り返ってみれば、やたらと、そういう意識、つまり、ひとつにまとまろうとする意識が、「国」と紐付けしながら確認できるようになったことは確かである。ただしそれは、自分が大学生で、社会人の真似事のような激務の中にあって、おい、社会ってのはなんだか気持ち悪くないか、と、意図的にひねくれた根性を醸成していたからかもしれない。ナンシー関はあらかじめ、来たるワールドカップへの違和感を唱えていて、その考え方に便乗していただけの可能性も高いのだが、答え合わせをしたくなる頃には、ナンシー関は、もう亡くなってしまっていた。

ナンバーワン・オンリーワン

作詞作曲・槇原敬之によるＳＭＡＰのシングル「世界に一つだけの花」がシングル版としてリリースされたのが２００３年で、その中にある、かの有名な歌詞「NO.1にならなくてもいい　もともと特別なOnly one」という一節を、どのように受け止めるべきだったのか、正解を見つけるのは難しい。難しいというか、話題になった時に、その人がどのような暮らしをしていたかで、受け止め方は大きく変わる。翌年に就職活動を控えていた自分は、当然のように、「そんなこと、あなたたちに言われなくてもわかっているし、芸能界でナンバーワンの位置に居続ける人がそうやって歌えば歌うほど、誰もがオンリーワンであるという当然の状態が特別視されてしまうではないか」といった内容をあちこちで吐いていた。受けは悪かった。その時ならではの考え方だったかといえばそんなこともなく、実のところ、今も変わらず、この歌が流れるたびに同じような思考の流れを辿っていく。思考の流れが変わらないのを確認しながら、この不変っぷり、自分はもともと特別なオンリーワンなのかもしれないと、自分で嗜むための見解を自分に向ける。

　あなたはそのままでいいんだよ、と言ってもらいたい人がいる。でも、言われたくない人もいる。自分はずっと後者だ。度合いの問題ではなく、そのままでいいんだよと査定してくる行為自体が願い下げで、言葉を選ばずに言えば、「あなたたち傲慢」なんて考えてきた。そんな狙いを持って作られた曲ではなかったはずだが、誰かの「頼んでもいないのに下される評価」が気に食わないのは、その身勝手な手つきに敏感だからなのか。誰だってもともと特別なオンリーワンに決まっているではないか。

　2001年5月、小泉純一郎が所信表明演説で、「痛み」という言い方を3回も使っていた。ワンフレーズを走らせてどうにかこうにかしようとする働きかけには抵抗が必須だ。誰がどう痛むのか。そちらが痛むのか。それとも、こちらも痛むのか。どちらかだけが痛むのか。問わなくてはいけない。どう使ったか、引っ張り出しておく（以下、傍点は引用者）。

「私は、『構造改革なくして日本の再生と発展はない』という信念の下で、経済、財政、行政、社会、政治の分野における構造改革を進めることにより、『新世紀維新』とも言うべき改革を断行したいと思います。痛みを恐れず、既得権益の壁にひるまず、過去の経験にとらわれず、『恐れず、ひるまず、とらわれず』の姿勢を貫き、21世紀にふさわしい経済・社会システムを確立していきたいと考えております」

「構造改革を実施する過程で、非効率な部門の淘汰が生じ、社会の中に痛みを伴う事態が生じることもあります」

「明治初期、厳しい窮乏の中にあった長岡藩に、救援のための米百俵が届けられました。米百俵は、当座をしのぐために使ったのでは数日でなくなってしまいます。しかし、当時の指導者は、百俵を将来の千俵、万俵として活かすため、明日の人づくりのための学校設立資金に使いました。その結果、設立された国漢学校は、後に多くの人材を育て上げることとなったのです。今の痛みに耐えて明日を良くしようという『米百俵の精神』こそ、改革を進めようとする今日の我々に必要ではないでしょうか」

米百俵の精神は、当時よく解説されていた。目先の利益よりも、根本的な構造を変えるために使おう。それって、要するにギャンブルである。同じ所信表明演説の中で、「恐れず、ひるまず、とらわれず」などと、勇者のようなコメントを吐いておきながら、ちゃんと「非効率な部門の淘汰が生じ、社会の中に痛みを伴う事態」になるかもしれない、と言い残している。社会が要らないと判断した人はその職を失うかもしれませんので、そこんとこよろしくどうぞ、という通達である。弱いものは切り捨てます、生き残りたいのであれば、結果を残してください、という改革は、提案する側が恐れたり、ひるんだり、とらわれたりする状況を打破するわけではなく、天上から見下ろして、倒れたり、立ち上がったり、もう一回倒れたりする光景を見ることになります、という告知だった。「痛み」と聞いて、すぐそこで、「痛めつけられる」と「痛ませる」に分けておきたい。「痛み」は実に具体的な言葉なのに、嘲笑的に背負わせてくる。

自分が新卒で就職したのは2005年で、この時期は、就職氷河期の終盤に位置付けられる。少し上の世代は就職氷河期のど真ん中で、就職先がなかなか見つからず、希望する就職への道が限りなく狭い中で「恐れず、ひるまず、とらわれず」をどのように受け止めていたのだろう。SMAPが歌う「ナンバーワンにならなくてもいい」と「もともと特別なオンリーワン」というのは、そもそも対立軸ではない。AではなくBという比較の発生からして受け止めなくてもよかった。いつの時代も、ナンバーワンにならなければいけない、という考え方がある。ナンバーツーよりもナンバーワンのほうが多くのお金を稼ぎ、社会的に高い地位を与えられ、優雅な暮らしを送れる。小泉の言う「痛み」は、ナンバーワンのあり方を是正するものではなく、露骨に「非効率な部門の淘汰」であって、それまでも痛んでいた人・組織に、本格的な痛みを提供すると告知していたようなものだ。「もともと特別なオンリーワン」というのは、「ナンバーワンにならなくてもいいけど、助けてもらおうとするならば、それなりの成績を出してからにしてくださいよ」とポップに伝えてくる社会には効き目が薄い。連呼されると言葉の意味が無効化する様子は、東京オリンピック強行開催に向けて連呼された「安全安心」を思い出すのが早いが、人は誰だって、もともと特別なオンリーワンなのに「もともと特別なオンリーワン」と連呼されると、それを新たに気づいた本質のように捉えてしまう。

安心安全は嘘つきの言葉だ。だから、自分は事あるごとにＳＮＳなどで言及してきたのだが、その反応の中には、いちいちそうやって細かいことを指摘して悦に入るのはいかがなものか、という声もある。いつもそうだ。ずっとそうだ。根本的な間違いを指摘すると、そんな間違いはちょっとしたことではないかと吹っかけてくる。こういう姿勢がとにかく繰り返される。

国の先頭に立つ人が、まずは大きく出てみる。今までとは大きく変わりますよ。期待していてください。その代わり、もしかしたら、痛みを伴うかもしれません。痛む姿を目にしたり、あるいは、残念ながら当事者になってしまう可能性もあります。でも、ですね、その後なのですよ。その後で、私が、これまでになかった社会を作り出します。私には、そんな未来が見えているのです。犠牲の後に実りがあるのです。だからついてきてください。

一時的な熱狂はこうして作られるのだが、熱狂のおおよそは告知後しばらくして頓挫し、その実践がうまくいかないと、次の熱狂の告知を待ち焦がれるようになる。うまくいかずに生じた被害者は、うまくいった人との比較で、「うまくいった人もいるのに」と低く評価される。本書のもとになる連載を始める前、編集者に「自分たちの世代は、うまくいったことがない世代だし、うまくいっている状態に参加させてもらったことのない世代なんです」と話したのを覚えている。提唱したけどうまくいかなかったですねと声をかけようとする頃には、提唱した人は責任をとるポジションにはもういない。「痛み」を提唱した人は痛まない。実によくできた仕組みだし、だからこそみんなしれっと繰り返すのだろう。

２００３年には、インターネットで知り合った人たちが集団自殺をはかる「ネット心中」が問題視された。同じ目的を持つ者が掲示板などで結びつき、死にたいという感情を増幅させ、行為に及んでしまう。部屋や車の中で練炭を七輪で焚き、やがて一酸化炭素中毒で亡くなっていった。具体的な事例がいくつも報じられていたが、その多くは自分と同じ20代前半で、具体的な理由、抽象的な理由が並んでいた。社会から切り捨てられたと感じる状態に共振した人たちが群がって命を絶つという、あってはならない「痛み」を遠目に眺めていた。だが、この痛みは近くにあるのかもしれないと疑う日だって当然あった。

わざわざ、特別なオンリーワンであると伝えてくる感じには、時として、そんなんじゃダメ、向上心に欠ける若者は云々……と説教を呼び込む働きもあって、しょっちゅう苛立っていた。そんな年、個人情報保護法が成立し、住民基本台帳ネットワークシステムが本格的に稼働した。イラク戦争が始まり、中国などでＳＡＲＳが流行して多くの死者が出た。来年は就職活動をしなければいけない。いや、どうやら年末から始まるみたいだけど、本当に面倒臭いなと思っていると、たまに行く大学の同級生がリクルートスーツを着始めた。その準備の早さ、変わり身の早さを嗤（わら）っていたが、すぐに、自分がただ遅れているだけではないかと気づき、リクルートスーツを購入して、波に飲まれていった。たまに就活の話をしていたやつが、ずっと就活の話をするやつになっていった。ナンバーワンとかオンリーワンとかそんなこと言っている場合ではなかったのだ。

記憶とは現在

記憶に基づいて書き、その記憶が正しいかを適宜資料にあたりながら書き進めているが、そもそも記憶の残り方はだいぶ自分に都合よくできているものなので、不都合な部分がどのように抜け落ちていったかは、正直、誰にも検証できない。記憶が消えていく瞬間にアラームが鳴るようにすれば、どんな人でも常時アラームが鳴り響いている状態になるのではないか。

「インタビュー慣れ」というか、「インタビュー飽き」している人にインタビューする時には、「いつもの話」にならないように注意する必要がある。一見、饒舌に話しているようでいて、ただただ、削りに削られて固まった「いつもの話」をしているにすぎない、という時間がある。とっておきの昔話をしているようで、時間をかけて型として定まった話をただただこなしている。自分が聞き手としてその場にいると、型からほつれている部分や枝葉を探さなければと焦るのだが、「インタビュー飽き」している人は一緒になって探してくれるわけではない。それに付き合うのが面倒だからこそ固めているのだ。

記憶とは現在である、なんて言い方をすれば、なんだか格言っぽくも聞こえるのだが、ただただ文字通り現在なのである。人は、今残っている記憶しか記憶していない。禅問答のようだが、記憶していない記憶は記憶されていないのだ。

ごっそり抜け落ちている記憶、ごっそり抜き落としてきた記憶はたやすく元に戻らないし、元に戻そうともしない。「黒歴史」なんて言い方が定着しているが、自分の歴史の白黒を区分けする権限は当然、自分が占有している。白だったものを、ある時点から黒にしてしまう。黒は白には戻らない。「これって、黒歴史なんだよね〜」と軽々しく打ち出される黒歴史がある。人には言わずに自分の記憶にとどめておく黒歴史もある。自分でさえ忘れてしまった黒歴史もある。黒歴史にもグラデーションが存在する。ということはつまり、現在、語られる黒歴史もまた、都合よく編集された記憶の一部でしかない。人は、わりと簡単に、思い出したくもない記憶を話すが、そうはいってもあれは思い出せる範囲の、そして、人に伝えられる範囲の記憶である。

昔、こんなことをやっていた、こんなことを話していた、というのは、どこまで自分のものとして問われるべきなのだろう。決まったルールはないし、立場によっても異なる。それなりの立場にある人が、かつてのイジメ経験を再度問われる。差別的な言動を蒸し返される。それは今の話ではないでしょう、と擁護する人も出てくるが、その話について、今、どう思っているのかという問いは常に浮上しうる。黒歴史としてしまっておいたものであっても、それが今、浮上したのであれば、今、答える必要が出てくる。問いかけるほうが、「あの時にあんなことやってたのを、今、どう思っているか」を徹底していればいいが、「あんなことやってた奴」ではなく、「あんなことやってた奴」を掘り起こすだけで終わってしまっているケースも多い。それでも、指摘されたほうは、「今、こう思っています」をしっかり伝えなければいけない。それをしないと、大雑把な言葉が飛び交い続ける。キャンセルカルチャーという言葉が行使される範囲はまだ曖昧だが、広めにとっておいて、なんでもそれってことにしてしまおうとする動きは加速している。

やってはいけないことをやっていた事実は、いつまでだったら許されるのか、そんな議論が定期的に起きている。議論というか、範囲の設定が望まれている。ハラスメントの議論でも、どこまでだったら許されるのか、という問いかけが頻繁に浮上する。許容される範囲をめぐる話はこれからも頻繁に繰り返されていくのだろう。

「なんかほら、こういう世の中だから、マジでもう、ぶっちゃけたこと、何も言えなくなっちゃったよね」という、昔のテレビマン的な愚痴が方々で飛ぶ。「今だったら決して許されないことだけど」という前置きを必要とする事象が積み上がっていく。それを「自由度」に変換し、ったく、今は自由がないよね、あの頃は自由だったよね、と定番の愚痴にする。結果、過去がいたずらに礼賛される。しかし、過去は自分の都合で加工できる。たとえ、あの時、許されていたものでも、本当は許されるべきではなかったものかもしれない。自分なりに強引に肯定した状態で記憶されているだけかもしれないのだ。

本書はずっと「過去」を取り扱っている。とりわけ「近い過去」だ。記憶の中に広がっている光景は自分なりにクリアなのだが、そのクリアさは時間をかけて自分でクリアにしたものに過ぎない。その警戒心を保たなければいけない。自分が記憶から消そうとしていることと、すっかり消してしまったことの中には、他人にとってクリアに覚えているものがあるはずで、その時の言動が、今現在も体に負荷としてかかっているかもしれない。それを改めて告げられた日が来たら、とにかくそれを今の問題として受け止めて、もう一度考え直さなければならない。

自分はどんな人に、どんな場面で苦しい思いをさせてきたのだろうかと考える。人を殴ったり、怒鳴って威圧したりしたことはないはずだが、相手にかかる負荷とは、そういった極端な振る舞いに限られるものではない。

ある日、明大前駅で降り、乗り換えて下北沢駅に向かう用事があった。明大前に着くまでの電車が数分遅れており、駅に着いた瞬間から小走りで行けば、スマホで検索した乗り継ぎの電車に間に合いそう。電車が止まる前から、ドアが空いた瞬間に出る体勢を整える。電車の外でそれなりの人が待っている場合、まずは降りるべき人がテキパキ降りて、まるで結婚式のフラワーシャワーのようにスペースを空けて2列で待機していた人たちが乗ってくる。顔見知りでも何でもないのに、阿吽の呼吸が成立している。

その日、自分は、次に乗るべき電車に間に合うかどうかばかり考えており、最短距離を探していた。自分はあろうことか、待機列と電車の間に生まれているわずかなスペースから出ようとしたのだ。ドアが開き、ひとまずまっすぐ歩いて曲がるのではなく、いきなり右折を試みる。すると、その待機列の先頭にいた人が、自分のまさかの動きに驚いて「ヒャッ」と声をあげた。

その「ヒャッ」を聞いて、「ああ、申し訳ない。申し訳ないけれど、急いでいて……」と頭の中で思う。思うというか、処理をする。これしかなかったんだと自分を肯定する。無事に電車に間に合う。その時点ではもう、「ヒャッ」を忘れている。数日後、偶然にも自分が同じような目にあった。自分は、気分の浮き沈みが少ないほうなのだが、あれもこれも、そしてもうひとつくらいがうまくいかなくなると、さすがに落ち込みはする。その日はそんな日で、何だかうまくいかないなという苛立ちが充満していた。そんな時に限って、まっすぐ降りずに、いきなり曲がって降りる奴がいる。心の中で大きな舌打ちをする。

その舌打ちを身体じゅうに響かせたあたりで、これ、自分も数日前にやったな、と思い出す。自分は「ヒャッ」と声には出さなかったものの、出来事としてはあまりにも同じである。加害と被害の両者となっていたのに、加害のほうだけを見事に忘れていた。自分の加害による被害がどのようなものであったかというのは、今からはなかなかたどれない。「あの時は本当に怖かったです」といつか話しかけられる可能性はゼロではないけれど、この手の加害の記憶が真っ先に消えていく。この前提というのか、連続を、忘れてはいけない。世の中に満ちている過去の語りは、有名無名問わず、同じ性質を隠し持っているのだ。

自分の記憶の美化が始まっている。美しく磨き上げているのは自分なのに、客観的な目線でそんな疑いを持っている。では、美化するにあたって、何を削り落としているのか。相手が「ヒャッ」と言ったのは忘れようとして、自分がされた場合については覚えている。とにかく都合が良さそうだ。トランプの「神経衰弱」を久しぶりにやると記憶力の低下を痛感するが、1枚めくったところで、なんとなくあそこら辺にあったかなと、適当にめくってみると、見事に同じ数字が出たりする。嬉しい。だが、大抵の場合は出ない。まったく違う数字が出て、その数字を記憶していた人に取られてしまう。どんどん忘れていく。人間の記憶はこのようにいちいち合わせる必要がない。自分にとって積極的な記憶と、消極的な記憶が陳列されていたとしても、積極的な記憶だけを美しく磨き上げればいい。対応する消極的な記憶だってあるのかもしれないのに。

加害と被害の記憶がそう。電車のドアの前で苛立った経験について、被害のほうだけを記憶しようとする。その蓄積によって、その都度新しい過去、自分にとって心地良い過去が形成されていく。これまで、ありとあらゆる人が過去を語ってきたし、自伝にしろ、エッセイにしろ、それらの多くは自分の過去の記録である。そこに刻まれている過去というのは、あくまでも過去について考えている現在であるはず。

つまり、過去について考えるとは「過去について考えている現在について考える」ということなのだ。これはなかなか面倒臭い。時間がかかる上に、考えているうちに、その都度更新されていく。過去を振り返るテキストには、記憶を背負いながら生きる今現在の面倒臭さが抜け落ちているものが多く、本書でこれまで書いてきた内容にしてもそうなっている可能性が捨てきれない。体験や記憶の完全復刻は難しい。自分は、電車のドアの前での苛立ちについてさえ、苛立ったほうだけを記憶しようとしていたのだ。数ヶ月前の話なのに。

だとすると、20年前、30年前の記憶はどうなるのだろう。すべてが神経衰弱のようにピタリと重なり合うわけではない。でも、この積極的な記憶に対応するような出来事はなかったのだろうか、とその都度考えてみる必要がある。

過去について考えている現在が、今日も明日も、ただひたすら更新されていく。更新作業のたびに、ある一定の過去が削り取られていく。積極的な過去はより一層磨き上げられていく。それだけが自分の過去であるかのように、あちこちで語る。すると、あちらからも、ベスト盤のような過去が飛び込んでくる。多くのものを取りこぼしているかもしれないという疑いを自分に振りかけてみる。消したい過去を摘み取っても、まだ根が残っている。本の半ばで、あらためて、その面倒臭さと付き合わなければいけないと肝に銘じておきたい。

自分の責任だよね

1959年から始まり、日本と北朝鮮両政府によって進められた帰国事業で、在日朝鮮人の夫と北朝鮮に渡った日本人妻が数多くいる。その一人の姉に58年ぶりに会うため、北朝鮮に向かう様子を追いかけたドキュメンタリー映画が『ちょっと北朝鮮まで行ってくるけん。』(2021年)。作品の後半で、SNSの画面が映し出される。日本人妻たちに向けて、「自らの意志で朝鮮人と結婚して自らの意志で北朝鮮に行ったのに何言ってんだこいつら。これこそ自己責任でしょ」「もう朝鮮籍なんでしょう? 自己責任だし諦めてください」「日本人妻は自分達の意思で北朝鮮に渡って行った　拉致被害者とは重みが違いすぎる」などの言葉が並ぶ。

自分の意志だったのだから、責任はあなたにある、だから諦めてください。一方、そうではない人たちは助けなければなりません。この論理展開には、いくつもの飛躍、強引な力学がある。個人の意志で決断した場合、その先でどんな事態が生じようとも、国の事情が変わろうとも、個人でどうにかしなければいけないのだろうか。助けなければいけないAさんがいて、そのAさんと似たような状況に置かれているBさんもそれにふさわしいかを考えたのだが、さかのぼってみたら、どうやら自分でそうしたようだし、助ける必要はない。自己の責任を他人が判別しているが、どうしてオマエの権限はそんなに立派で強いのだろう。

2004年、イラクで日本人3名が拘束され、自己責任論が噴出した。小泉純一郎が2度目の北朝鮮訪問をして、5人の拉致被害者の家族が帰国・来日したのもこの年である。自分で行ったんだし助けなくていい。本当に迷惑なんですけど。でも、そうでなければ、助けなければいけない。先の映画がそうであったように、「助けなければいけない」ほうは、ありとあらゆる比較対象に活用され、政治家は、拉致被害者の救出を目指す意志を示す「ブルーリボンバッジ」をこぞってつけた。なんだか免罪符のようにも見えるのは、そこから動きが見えないからだろうか。許せないんです、という意志だけがあり、行動は伴わない。いつの間にか、北朝鮮政府と直接交渉する手段を失い、アメリカの大統領にその旨伝えておきましたので、皆さん、今度こそ期待していてくださいと伝書鳩と化していくが、意志だけは持続している。キライな言葉を再び用いると、この意志は「コスパ」がとても良さそうである。

人質になった日本人3名は、ボランティアの女性、取材で現地入りしていた男性のジャーナリスト、高校卒業後に実情を知るために入国していた若い男性。官房長官だった福田康夫が、参議院本会議でこう述べている。自己責任ってやつを記録しておこう（傍点引用者）。

「被害者になった方々には誠にお気の毒であり、無事救出されてこれほど喜ばしいことはありませんが、御本人たちの配慮が足りなかったことは否定できません。自己責任というのは、自らの行わんとする行動が社会や周りの人々にどのような影響を与えるかをおもんぱかるということであり、社会人としては当然の配慮であります。御指摘のように、NGOの意義、戦争の報道の意義といった議論以前の常識に当たることだと思っております」（2004年4月21日）

　福田はこうして、自己責任の定義までしていた。自分の行動が社会や周りの人々にどんな影響を与えるかを、おもんぱかれ。誰かに迷惑がかかるのではないかと考えを巡らせなければ、配慮が足りないとされる。人を助けたいと思った。その場で起きている事を伝えなければいけないと思った。その理由だけでは動いてはいけないらしい。とにかくまず、迷惑がかかるかどうかを考えなければいけない模様。しかも、この時に想定される迷惑がかかる主体とは、イラクの人々でもなく、日本国民でもなく、救出のために尽力しなければならなくなる日本政府である。政府に迷惑かけんなよ、仕事増やすなよ、金使わせんなよ、と国民が言っていた。この感じが続く。北朝鮮に渡った日本人妻に向けて「自己責任だし諦めてください」と言えてしまう様子がそれだ。福田の定義を使うならば、訪朝するにあたって、「社会や周りの人々にどのような影響を与えるか」を考えたのでしょうか、というわけだ。

皇太子妃・雅子に対し、「キャリアや人格を否定するような動きがあった」と皇太子が宮内庁を批判したのもこの年だった。否定するような動き、とはいうものの、あまりに具体的な異議申し立てである。そこに流れてきた風土に強引に馴染ませようとする力が、ここにもあった。イラクに行った人たちへの自己責任論は政府主導でもありマスコミ主導でもあり、両者の結託でもあった。君たち、迷惑かけるんじゃないよ、という風土を一緒になって作り上げていく。以降、紛争地域で日本人が拘束されるたびに、その素性が問われ、純粋な正義とは異なる成分を少しでも素性に発見した場合、自己責任論が顔を出した。

社員記者を紛争地に向かわせないメディアはフリーのジャーナリストが得た素材を使用して戦地の模様を伝えてきたが、彼らに何かあれば、彼らを指差して自己責任だと繰り返す。「人格を否定するような動き」が増殖し続ける社会。その増殖が招くのは、失敗したら自分の責任、成功したら、なぜ成功することができたのか考えて、感謝すべきところに感謝をしろよ、と要請する社会である。目の前に広がる社会を、なんか不穏、なんかいやな感じと捉えてきた自分には、そんな社会の到来がはっきりとクリアに見えた。

東京オリンピックで好成績を収めた選手が、それはそれはもれなく、「こうしてメダルを獲得できたのも、日頃、お世話になっているコーチ、チームのみんな、スポンサーのみなさま、そして、テレビの前で応援してくださっているみなさんのおかげです」と述べていた。オリンピック開催強行がどんなに政治性を帯びていても、頑なに政治的な発言を控えたアスリートたちは、少しでもイレギュラーな言動を見せると横槍が入ってくるのを知っている。自己の責任において競技に集中しているアスリートが、他者への配慮を繰り返していた。自分で自分のことに集中するために、おもんぱかりまくった。2004年のアテネオリンピック、水泳100メートル平泳ぎで金メダルを獲得した北島康介選手が、マイクを向けられて、「チョー気持ちいい」と叫んだ。あのような、おもんぱからない言動は久しく見かけない。とにかく各方面への感謝が続く。迷惑がかからないようにしないといけないからなのか。

イラクで拘束された人たちが自己責任を問われ、皇太子妃の人格が否定される動きがあり、アスリートが直情的に叫んでみせた。そんな年に自分は就職活動の真っ最中だった。慣れたくないリクルートスーツを着込み、週に何度か面接に出かけていく。当時は、企業からの合否の連絡方法がメールと郵送の半々くらいだったので、実家住まいだった自分は、郵便局のバイクが自分の家の前に来るのを2階の部屋から確認しては、親よりも先に郵便物を取りに玄関へ向かっていた。親への手紙を仕分けし、自分の部屋で合否通知を開封する。「ご縁がありませんでした」という定型句を確認し、細かく破り捨てる。親から「そういえば、あの出版社、どうだった？」と聞かれても、「いや、まだかな」と平静を装う。出版社を中心に受けていたが、10社も20社も受けて落ちれば疲弊してくる。その疲弊を親に知らせないようにするのにも疲弊していた。

ある出版社では集団でディスカッションする形式の面接があり、そこに事前告知なしで社長が参加した。どうやらこの面接をクリアすれば最終面接らしい。テーマはなんだったか忘れたが、突然、社長が私を指差し、「ところでキミ、お父さんは何歳だ？」と聞いてきた。そこで自分が瞬時に思ったのは二つ。「無難に返したところで評価されることはないから一風変わった答えが必要だろう」と、「っていうか、なぜ、この社長は、自分に父親がいるという前提で話を振ってきているのだろう。そういうのってどうかと思う」の二つである。

その二つをあわせた結果、自分が社長に向けてなんと言ったかといえば、「（父親の年齢は）詳しくは知りませんね」だ。間違った回答だとは思う。すると、社長はみるみるうちに機嫌を損ね、「今の若い子は、父親の年齢も知らないのか！」と声を張り上げた。自分は「別に、今の若い子、ということではなく、50代後半の自分の父親が正確に何歳かを知らないだけです」と続けた。社長は厳しい顔を崩さない。あっ、これは、逆に通過するかもしれないなと、使い勝手のいい「逆に」を頭に埋め込みながら会場を出たのだが、一緒に議論していた人たちがゆっくりと自分から離れていき、群れとなって地下鉄の駅に向かっていく。

今日、面接を受けた中からたったの一人も受かるかどうかわからないのに、どうしてこんな時まで一緒に行動するのだろうと、少し距離を保ちながらこっそり後ろをついていくと、「あれは自分の責任だよね」と言いながら一緒に笑っていた。「あれ」とは何を指すのか。「あんな程度で怒ってしまった社長」のことかなと一瞬だけ思ったのだが、だとしたら、むしろ自分をその群れに招き入れるはずだから、「あれ」は、自分の発言のことだったらしい。結局、面接は通過しなかったのだが、あの人たちも通過しなかったのではないかと思っている。

今、自分が仕事用に使っているフリーメールは就職活動を始めるにあたって取得したものなので、メール一覧の表示順序を日付で切り替えると、2004年に企業とやりとりしたメールがいくつか出てくる。久しぶりに読み返してみる。書類選考を通過したので、次は会社説明会と筆記試験に来て欲しい、という出版社からのメールに対し、こんな返信をしていた。

「拝啓　貴社ますますご盛栄のこととお喜び申し上げます。このたびは、書類選考通過の書面を頂き、誠にありがとうございました。喜びと共に気を引き締めている所でございます。指定された会社説明会および筆記試験に、予定通り出席させて頂きます。何卒、宜しくお願い致します。　敬具」

なんというのか、自分は今までこういう文章を書く人間であったことは一度たりともないと信じていたのだが、そんなことはなかったのだ。何かの就職活動用の例文をコピペしたのかもしれないが、「喜びと共に気を引き締めている所でございます」と書いている自分がしっかり残っていた。はびこる自己責任論をたっぷり浴びて、うまくいかなかったら自分の責任だよね、とする社会の空気をガブ飲みしていたのだろうか。自分で掘り起こしたメールを自分で読みながら、こんなことは二度とあってはならないと気を引き締めている所でございます。

社会の歩み方

関東圏の鉄道各社が、女性専用車両を本格的に導入したのが2005年春なので、自分が就職したのと同じ時期にあたる。出版社に就職し、しばらくは、埼玉県にある倉庫での研修、2つの書店で研修が続いたので会社にはほとんど行かなかったのだが、その節目では会社の偉い人との飲み会が強制的に設定され、「会社ってこんな感じでやってるもんなんだよ」というテンションを繰り返し植えつけられた。ビールを注ぐ時には、瓶を両手で持ち、ラベルを上のほうに向けなければいけない。そういう慣習だという。「えっ、どうしてそんな慣習になっているのでしょうか。そんなの必要ないと思うのですが」とパワフルに主張する力はなく、無気力なまま、無抵抗で素直に従っていた。なぜならば、両手で持ち、ラベルを上に向けて注いでおけば、その場が済むからである。その場を済ませるのが社会人の第一歩だと信じていた。

社会に出る、というのは、具体的な行為としては、「社会人がこれまでこなしてきた前例を疑うことなく淡々と遂行する」を指すようで、難なくこなす日々を重ねていく。「これが通例なんだぞ！　前例なんだぞ！」というプレゼンテーションを浴び続けていただけで、拒否権を発動させてもよかったはずなのだが、あらかじめこちらに配付される札が「賛成」「承諾」「理解」といった感じの札しかないものだから、ニュアンスを嗅ぎ取るほかなかった。「忖度」という言葉が注目されたが、社会人になって真っ先にインプットされるのが、「両面にコピーして、右上をホッチキス留めするコピー機の設定」よりも「各方面への忖度」である可能性は高い。慣習への疑いの芽を摘み取るのが新人教育だったようだが、今ならば言える「それ、教育じゃないでしょ」は、その時は言えなかった。

「社会に出る」というのは、「まだ社会には出ていない」という状態からの大急ぎの移転作業になるので、すでに社会に出ている人たちからの情報を易々と信じ込んでしまいがち。『地球の歩き方』であれば、「空港を出たところで積極的に誘ってくるタクシーはぼったくりの可能性が高いです。タクシー乗り場につけているタクシーを捕まえた上で、座る前に目的地を告げ、いくらかかるかをあらかじめ聞くようにしましょう」と丁寧に書かれているのだが、「社会の歩み方」にはその手のアドバイスがどこにも載っていない。基本的に現場対応である。毎日のように馴染もうと試みる。こちらがどのように馴染もうとするかといえば、あちらから提供されたものにそのまま乗っかる行為ばかりになる。こうして、半ば強制的に方向を一致させる仕組みが社会なので、その社会ってやつはなかなか変わらないのだ。

それなりに、社会課題を熟知している気でいたし、倍率がそれなりに高かった出版社に採用された自負は、その「気」を増幅させていたが、今になってそのころを振り返ると、社会の動きなんてごっそり無視していた。事実、女性専用車両が本格的に始まったことさえ覚えていない。満員電車の一員だったはずなのだが、ラベルを上にしてビールを注ぐ技術を優先していたのである。なんでラベルを上にしなければいけないのだろう。

新入社員としての数ヵ月は、「そのうち自由にやれるようになるけれど、ひとまずはもろもろ従ってもらうことになります」との宣告を繰り返し受ける。やがて自由度は増したのだが、実際には、従属する部分も色濃く残る。そうやってしっかり残すのが当初からの狙いなのだろう。職場には、派遣社員やアルバイトの女性がたくさんいたのに、夜の部になると周りにはほとんど男の人しかいなくなる。「なんとかして終電までに帰りたい新入社員」と、「終電なんて気にするんじゃねぇよを柔らかく伝えなければいけない時代に入ってきたことに勘付き始めたベテラン社員」との攻防が続き、相手を泥酔させれば帰宅時間が早くなると知った私は、相手を泥酔させるためのテクニックを身につけていった。新たに覚えるべきタスクが、自分の身を守るためのものであった場合には熟知が早くなる。社会に出ると限られた時間で獲得できるものを選択しなければならず、馴染もうとすればするほど狭い社会以外の実社会に無頓着になっていく。今、生業として、社会で起きている問題について言及する機会が増えているが、「社会に出ると、社会どころではなくなってしまう」感じをうっかり忘れてしまう。今も昔もずっとそうなのだから、若者批判に加担するにあたっては慎重になる。だって、どうしたって、社会どころじゃなくなるのだ。

この年は、ジェンダーにまつわる二つの大きな出来事があった。一つは、女性国際戦犯法廷を取り扱ったＮＨＫの報道番組へのＮＨＫ幹部の介入が発覚したこと。もう一つは、自民党内で「過激な性教育・ジェンダーフリー教育実態調査プロジェクトチーム」が立ち上がったこと。この二つは、たとえば今、自民党が選択的夫婦別姓について世の中の潮流を無視しながら否定し、「あるべき」家族像を強引に保持しようとする働きにもつながっている。

２００１年、ＮＨＫ教育テレビの番組「ＥＴＶ２００１シリーズ『戦争をどう裁くか』」の第2回「問われる戦時性暴力」のなかで、ＮＨＫ幹部の介入があり、女性国際戦犯法廷を扱う場面について改変が行われた。２００５年1月にこの件を朝日新聞がスクープした。ＮＨＫの総局長に対し「ただではすまないぞ。勘ぐれ」と言ったのが安倍晋三だったと、当時のプロデューサー・永田浩三が後に明らかにしている。

「過激な性教育・ジェンダーフリー教育実態調査プロジェクトチーム」については、「第12

回男女共同参画基本計画に関する専門調査会議事録」が男女共同参画局のウェブサイトに残っている。基本計画を見直すべきという立場のプロジェクトは、「見直しのポイント」として、「家族否定につながる表現は不適当」「『ジェンダー』という言葉についての削除」「『あらゆる分野』という言葉の表現について」と並べた。「あらゆる分野」とは何か。男女共同参画基本計画改定「中間整理」の中にある「社会のあらゆる分野において指導的地位に女性が占める割合が2020年までに少なくとも30％程度になることを期待し、各分野における自主的な取組が進められることを奨励」するとの文言について、「あらゆる」にすると、「すべての」との意味が強まってしまうので、それを弱めたいらしい。結果的にこの目標は達成できなかったどころか、ギリギリになって放り投げて先送りされている。こういった数値に対して、当初から後ろ向きに迫っていた人たちがいたのである。いたのである、というか、そういう人こそが、国家運営を長いこと担ったのである。資料にはこんな文言もある（傍点引用者）。

「全てにおいて『女性』が誇張されすぎている」

「ジェンダー論は、性差否定、区別は差別、結婚、家族をマイナスイメージでとらえ文化破壊を含む概念。男と女を調和でなく、対立的にとらえている」

「家族や家庭という言葉が出てこない。個人主義中心の国づくりを目指しているように思える。家族の絆、地域の連帯、国を思う気持ちを育てるという方向の中での男女共同参画であるべき」

「男女の差別はよくないが、恥らいとたしなみ等、女らしさ、男らしさは失わぬよう区別をはっきりさせることだ。我が国はりっぱな家族制度のもとに、夫婦愛、兄弟姉妹愛、そして地域の中で地域愛、隣人愛やがて郷土愛が育ち、愛国心が育ち自国を誇りに思う」

いくらでも引用したくなってしまうが、この手の企みが今に至るまで残存し、それでもまだこのまま保持したい、壊そうとする人たちからこの国を守ろう、と前のめりになっている。「日本を、取り戻す。」というスローガンを連呼した人たちが、一体、何から何をどのように取り戻したかったのかは謎めいたままだったが、最後に引用したあたりの内容(家族、愛、誇り)がゴール地点なのだろう。そのために、とにかく「個人主義中心の国づくり」を避けたのだ。

彼らが、2020年を見据えて、個人主義を止めなければいけないですね、男は男らしく、女は女らしくないといけないですよね、とスタートを切っていた頃、自分も社会人としてのスタートを切っていたが、社会に紛れ込んだばかりで、社会のことなんか考えちゃいられなかった。自分が持っている権利を根こそぎ刈り取られるような職場ではなかったが、今は個人の主張をする段階ではないと、人に言われる前から思っていた。それまでも、ミスをすれば存在そのものが疑われてしまう自己責任社会の中で暮らしてきたので、個人主義から離れていくことに対しては抵抗感よりも安堵感があり、自分の振る舞いが、知らぬ間に集団主義の一部になっていた。若者の政治離れとはよく聞くが、離れていたというか、それどころじゃないよねというささやきがあちこちから聞こえた。自分もささやいていた。

男性である以上、一部になるのは恩恵を受けるのと同義であり、多くの物事が大過なく進んでいった。それは当然、ジェンダーがフリーにならないような仕組みの中でこそ成り立つものであり、慣れるだけで道が用意されていた。その居心地の良さは、「男と女を調和でなく、対立的にとらえている」のはどうかと思うよ、と突っかかる考え方とも遠くなかったはずだし、その危うさに気づいたのがごく最近だというのが情けない。

ワーク・ライフ・バランスという言葉が提唱されたのもこの頃で、2004年度の「仕事と生活の調和に関する検討会議報告書」に向けた会議の議事録に明記されている。社会に出ると調和が求められる。何の経験も持たないキミはまず、ここに流れている仕組みに馴染みたまえ、と言われる。用意された調和にそのままスッポリ収まろうとするのって、本来、調和とは呼ばないはずだが、それしかないと教え込まれた。社会に出るってそういうことだから致し方ないという思いもありつつ、ちっとも疑わなかった事実は意識的に覚えておきたい。2020年に「社会のあらゆる分野において指導的地位に女性が占める割合が」「少なくとも30％程度」にならなかったのは、こうやって歩むのが社会なんだぞ、という教示に逆らわず、ラベルを上にしてビールを注いでいたからでもあるのだ。

それなりに知られているカルチャーサイトのひとつに「ＣＩＮＲＡ」がある。先ごろリニューアルし、「芸術文化から社会課題までを扱うウェブメディア」と銘打っているのだが、運営会社の社長に、芸術文化と社会課題は、「から」ではなく、常に連動しているものだと思うけど……とわざわざ突っ込んでみて呆れられる。この媒体との付き合いは長い。立ち上げが２００３年で、法人化したのが２００６年だが、法人化するまでの間、中心メンバーというか運営スタッフとして参加していた。先日、若き起業家たちの群像を追う韓国ドラマ『スタートアップ：夢の扉』をNetflixで見ていたら、登場人物の青臭さを強調するように、焼肉屋の上にある屋根部屋を事務所として借りていた。その手のベタな設定を茶化す気にならなかったのは、ＣＩＮＲＡの事務所が、まさしく、東京・幡ヶ谷にあるマンションの屋根部屋だったから。そこに頻繁に集まり、どういうテーマで特集記事や雑誌を作ろうかなどと議論を繰り返していた。

議論が白熱すると、その議論が当時のサイトにあったＢＢＳ欄に派生、「自分はこう思う」という主張に「それは違うと思う」という反論が返ってきて、そこに表示される閲覧数のわずかな差（たとえば、１０４と96のように）に一喜一憂しながら過ごしていた。自分の意見がいつでも誰にでも見られる状態に置かれている興奮と緊張があり、投稿する前には、「これでいいのか」と自分の文章を何度も疑いながら検討する。議題は「働くとは」だったり、「この政治体制をどう捉えるか」だったり。意見が不特定多数に可視化され、賛成と反対の双方の意見が押し寄せる（数件だが）。反対された場合には、そこへの反論をどのように返そうか、ノートに論理展開をまとめ、清書するようにパソコンに打ち込んでいく。冷静さを保ちながら見事な反論をぶつけた時には気分が晴れやかになるのだが、その「見事」の基準といえば、数十人のアクセスと、さらなる反論があるかないか、というものなのだから、基準としては弱い。

今、「論破」という言葉がネット空間で持ち出される時、端的に相手を言い負かすことができたかどうかが基準になっているが、この端的さというのは当時の空間にはなく、執拗に食らいつき、そのうち、どちらからともなく終わっていくという、非効率でハイカロリーなやりとりが続いていた。意見の鋭さではなく、意見を言い合う状態への興味が持続していたので、この手の野心はもう二度と取り戻せないものだろう。

しばらく誰も使っていなかった屋根部屋を無理やり使っていたので、和式便所から悪臭が漂い続けていて、玄関の重いドアを開けると、すぐにその臭いが立ち込めた。「香りの記憶は消えない」というのは、ロマンチックに使われることが多いが、自分の場合、あの事務所のトイレ臭である。

「自分はそれなりに意見を言えると思っている人」と、「自分は意見なんか言わないと決めている人」がおり、交わされている会話の表面だけを拾うと、「意見を言えると思っている人」同士の論争が続いていたのだが、あとになって執筆した記事を並べた時に、「意見なんか言わないと決めている人」の原稿のほうが圧倒的に面白く、その事実には気づかないふりをしていた。大学生や社会人になりたての時期は仮想敵を用意するのがあまりにも簡単な時期だから、毎週のように仮想敵を新たに持ち込みながら議論していた。議論が深まるというより、仮想敵を増殖させただけではないかという疑いも残るが、仮想敵の増殖を、世界を見る目が広くなってきたんだと無理やり理解させるのが得意だった。

２００６年に、ある番組が終了している。ＮＨＫ教育テレビで放送されていた『真剣10代しゃべり場』だ。２０００年から始まったこの番組は、自分にとっては仮想敵を増やすのにこの上なく便利な存在だった。一般公募で選ばれた10代が10〜15人程度、スタジオの中で車座になって議論するのだが、その議題は、「将来が見えない」「やりたいことが見つからない」「大人になるって何？」といったもの。スタジオには10代にアドバイスする大人もいて、「そのうちわかるよ」的な意見を投げては納得してしまうスタジオの様子を丸ごと批判していた。「自分のやりたいことがわからない」という普遍的なテーマについて、「そもそも、人は、自分のやりたいことをしなければいけないだろうか」と問題設定を崩すような性格を鍛えられたのは、この番組のおかげである。同時期には『恋愛観察バラエティー　あいのり』（フジテレビ系）も流行っていた。一台のワゴンに乗った男女が地球一周する旅を追いかけたバラエティ番組なのだが、「真実の愛」を見つける旅でもあり、気になる異性に告白した人は成功しても失敗しても帰国しなければならず、告白に臨む前後では、高確率で恋愛感情とは離れた自分語りが続いた。「ここではこんな感じのことを言う流れになっているんだろうから、ひとまず言ってみます」という空気に包まれていた。

『しゃべり場』にも『あいのり』にも、議論した挙句、口論に発展する場面があり、周囲にいる人たちが、とにかくただただ真剣にしゃべっている場を見つめているという共通項があったのだが、自分には声を荒らげている人よりも、その場で見つめているだけの人が気になった。これだけあからさまに目立つ場に出てきて、どうして自分の意見を言わないのだろうか、同意にしろ、反論にしろ、示すべきだろうと苛立った。目立ち方にやたらと敏感だったということは、自分も目立ちたかったのかもしれない。ＢＢＳにアクセスした人数を気にしていた毎日からもそれは明らかである。会員制ＳＮＳのｍｉｘｉの会員数が一気に跳ね上がっていくのが２００５年から06年にかけてのこと。このサービスには「足あと」という機能があり、自分の書いた日記に、誰がいつアクセスしたかが表示される仕組みとなっていた。自分はｍｉｘｉを使うことはなかったが、なぜ使わなかったかといえば、その表示に一喜一憂するに決まっているからで、自分の意見が査定されることに興味以上に恐れがあった。

「自分語り」というのは奇妙な言葉で、当然、どんなことでも語るのは自分なのに、そのカテゴライズに近づいていくのにやたらと慎重になる。自分の意見を言いたいのに、自分語りにならないようにするサジ加減が必要って、その後のＳＮＳ社会の始まりとも言えるわけだが、車座になって自由に意見を言い合う様子に対しても、自分から明確な意見を発していく様子に対しても、双方に警戒心があった場合は、どうしても、議論に勝つという筋肉が育たなくなる。極めて慎重に意見を練り上げていた。

考えを述べる、というのは、議論に勝つとイコールではないので、後者のテクニックばかりが膨張し続けている現在においては当時の躊躇(ためら)いは間違っていなかったとは言える。20名ほどの素人の女性たちが明石家さんまと雑談し合う『恋のから騒ぎ』（日本テレビ系）では、さんまに気に入られることのなかった女性がどんどん入れ替わっていき、結果を残そうと前のめりになる女性たちの空回りをさんまが茶化す光景を、さんま側に乗っかるように楽しんでいた。意見は言いたい、でも、意見を評定される機会にはものすごく慎重でありたいというへっぴり腰が、公の場に出てくる人たちをおおよそ「仮想敵」に仕立て上げるという悪循環を作り上げた。

個人の意見を発するとなった時、今は開かれた場で投じられるケースが大半だ。ちょっと昔までは限られた場だった。自分の場合、場が開かれていく過渡期に身を置いており、だからこそ、開かれた場で意見を言っている人たちには一定の嫉妬心があったはずなのだが、それを認めようとはしなかった。このところ、ZINEを作る人が増えており、商業誌とまではいかない、とはいえ、身内だけにとどめるものではない規模の印刷物が並んでいる。「ある程度は開かれた状態」をわざわざ作り上げている。そう遠くない時代には、そういうものばかりだったはずなのに、と思いながら手に取ってしまう。

トイレの悪臭が漂う屋根部屋で議論を重ね、その結果として、雑誌というかCD－Rマガジン（パソコンに入れると、オリジナルの記事をWEBで閲覧できる仕組み）を作り、その存在をある文芸評論家が評価してくれたと知った時の高揚感は忘れられない。無数に仮想敵を作っておきながら、向こう側からわざわざ向かってきてくれた存在がいれば、「やっぱ、わかってるよね」などと無条件で歓迎していた。自分の意見を言い、相手の意見を待ち構え、相手と意見をかわす。こういうシンプルな動きが難しくなってきた。論破するという言葉がネットの中からずっと聞こえるが、言葉を付け足せば、あれは、「論破したってことにする」を意味しているのだから、積み重ねてきた思考を吐露するのとは違う。こうきたらこう返すのがベストという戦略は自分の意見ではない。たとえ戦略を間違えても、自分の意見が潰されたわけではないと開き直れる。この手の言語が褒めそやされる空間のつまらなさだ。

「誰もが意見を言えるようになった社会」という言い方が繰り返される中で、「自分語り」と揶揄する動きはいつの間にか消えた。単純な話だ。みんな、語りまくるようになったからだ。時折、あの屋根部屋に漂っていたトイレの悪臭に似た臭いの場所を通りかかると、毎日のように行われていた出口のない議論の断片を思い出すのだが、あの程度のスケール感って悪くなかったなと浸ってしまうのは、単なるノスタルジーなのだろうか。

「あの頃は良かった」という言説をイヤイヤ受け止めるほうから、うっかり発するほうに切り替わるタイミングというのは、誰かが教えてくれるわけでもない。受け止めているほうは基本的にうざったいと思っているし、発するほうは基本的に気持ちよさそうにしている。懐かしい、という伝達に、説教風味が混ざっているのを確認するのは、話すほうより聞かされるほうが多い。ノスタルジーの加害性というのか、自分の中での「あの頃は良かった」の成長って、慎重に吟味する必要がある。そもそも本書自体がその性質を持っているが、40年程度しか生きていない人間が語る「あの頃」というのは地盤としては軟弱である。でも、軟弱だからこそ考えをぶつけてみると、深く入り込めたり浅く終わったり、その都度、表情が変わる。ノスタルジーは凝固した形で発したほうが説得力が増すのだろう。固まる前に考えてみるのはノスタルジーへの抵抗にもなると思っているのだが、それも含めて単なるノスタルジーでしかないという説が濃厚である。

アメリカの『TIME』誌が、その年にもっとも影響を与えた人物を「Person of the Year」として発表しているが、2006年に選ばれたのが「You（あなた）」だった。雑誌の表紙には、パソコン画面の真ん中に「You.」と大きく書かれており、「Yes, you. You control the Information Age. Welcome to your world.」と説明文が添えられている。情報化時代をコントロールするのはあなたなのです、という忠告には、まだまだ雑誌という媒体に力があったからこその余裕が垣間見える。日本テレビ系の『24時間テレビ』が番組の最後に流してきた「本当の主役はあなたです」という野暮ったいメッセージには、これだけたくさんの感動を提供してきた番組、これだけたくさんの芸能人があくせく動いてお届けした番組ではございますが、という前置きがある。これがテレビの力なのです、という誇示に不安がないからこそ、本当はあなたが主役であると言える。『TIME』の「You」にも同じような余裕が滾っていた。

2005年にYouTubeが始まり、mixiが盛り上がり、音楽の世界ではMyspaceが流行していた。2007年には「セカンドライフ」なる、仮想世界での生活を楽しむオンラインサービスの日本語版がリリースされた。それ以降、新たな場所を別の次元に構築し、これまでの世界にあったものを移行してみるという取り組みは、流行り廃りを繰り返している。

新陳代謝は激しくなるものの、いずれにせよ「You」の興味次第で、自分の好きなものを選択できるようになり、選択の幅は広がる一方である。

アメリカのレンタルビデオ店の変遷を追ったダニエル・ハーバート著／生井英考・丸山雄生・渡部宏樹訳『ビデオランド　レンタルビデオともうひとつのアメリカ映画史』を読むと、自分の好きなものを選ぶ、という行為の変化が見えてくる。アメリカで初めてレンタルビデオ店が登場したのが１９７７年。映画界はそれまで、磁気テープに録画した映画を家で観られるようにするのに反対していた。こんなものが広まれば、映画文化が廃れると考えていた。ようやく認められると、たちまちレンタルビデオ店が林立し、１９８９年には全米で３万店舗を数え、２万２０００ほどだった劇場用映画のスクリーンよりも増えたという。映画館はどうしても都市部に集中するが、レンタルビデオ店は地方に点在する。地域の客が集い、店を仕切る好事家がセレクトした作品が好評を得ていく。

文化の発信地として、レンタルビデオ店が機能したのだ。特定の作品を求めて足を運び、その作品が借りられている場合には、他の作品を紹介してもらう。この先の予定を見越して借りる量を考える。結果的に足りなくなったり、足りすぎたりする。お店に通いつめる。そんな循環も長くは続かない。この本の著者は２００８年から12年にかけてレンタルビデオ店の現地調査を重ねたが、２０１０年夏に西部への調査旅行へ出かけると、「70％割引　閉店セール」という幟を残したまま、閉まっている店舗を複数見かけた。90年代に増えたレンタルビデオ店は、「You」が主役になる社会の中で一気に消滅していく。同書の訳者あとがきによれば、日本でも、「一般社団法人日本映像ソフト協会」に加盟する個人向けレンタル業者数が2000年からの20年間で3分の1までに減少したという。Netflix や Amazon Prime などの定額制サービスによって、自分の好きに選べる環境が整えば整うほど、わざわざ出かけていく必要性は無くなったのだ。

東京都東大和市在住（2005年、大学生まで）↓レンタルビデオ店まで2キロ。東京都豊島区在住（2007年、社会人3年目まで）↓レンタルビデオ店まで1・5キロ。東京都世田谷区在住（2014年、ライターとして独立するまで）↓レンタルビデオ店まで1キロ。東京都某市在住（現在）↓レンタルビデオ店まで700メートル、2018年閉店。これが自分のレンタルビデオ店との付き合いの歴史だが、Google マップでそれぞれ距離を調べてみたところ、自宅との距離はどんどん縮まっていた。最後の店だけが最寄駅の前にあり、それまでの3店舗は駅とは異なる方向にあったので、わざわざそこまで出かけていた。そこまで行く、という判断がどういう展開を呼ぶかといえば、「今日、行ったら、あの作品はあるのだろうか」「あの作品がなかったら、あっちの作品を借りてみようかしら」「それとも、特集コーナーに置いてあるものから選んでみるのもいいかもしれない。だけど、あの手のコーナーに置かれているものは、特集されているという理由だけで借りられている確率が高いからな」「もしも、何も借りたいものがなければ、今、こうして自転車で向かっていること自体が無意味になっちゃうな」「そもそも、ここから1週間、観る時間ってあるんだっけ」「観る時間がなかったとして、1週間後に返しに行くのを忘れずにいられるだろうか」などの思いが生じるということだ。この感情というか葛藤は、今は発生しなくなっているわけなのだが、あれって、重要な感情だったのではないのか。

2キロ離れたところにあるレンタルビデオ店に通っていた頃は、自転車で10分近く、雨の日ならば歩いて20分以上かけてその店に通っていた。店内での徘徊も含めれば1時間近くかけていただろうか。書店も併設されていたので、地域で一番の文化的な場所に出かけていく行事であり、たどり着くまでには気持ちの高まりもあった。いざ入店して、然るべきものを得られなかった時の落ち込みもまた、時間の経過とともに高まっていく。レンタルビデオ店を出るときの防犯ゲートは何度通過しても一定の緊張感がある。これまでの誤作動の経験が繰り返し頭をよぎる。借りる、という行為は、これはあなたのものではありません、お金を払ってくれたので、一時的にあなたが所有する権利を持つだけですよ、にすぎない。防犯ゲートを無事に通過した時の緊張から解放されても、自分の手元にあるものは自分のものではないという確認が繰り返される。わざわざ時間をかけて借りにいくという行為が、主役はあなた、主役は「You」、になってから薄まっていった。

今、定額制サービスに並んでいる映像商品って、一体誰のものなのだろう。そういう疑問を持つのも、「7泊8日って、ぎりぎりいつまで許されるんだっけ」といった確認を続けてきた頭が残っているからこそなのだろうか。映画や音楽は一定額を支払えば自分の好きなように扱えるもの、という前提を持つ世代とは大きな差がある。ある文化について、圧倒的に知っている人と、それなりに知っている人と、ちっとも知らない人がいる。この場合、知っている人が知らない人に対して教え込むという工程が生まれてくるが、このところ、そういう行為はちっとも歓迎されず、こちらから選んで味わっていますので余計なお世話ですとなりがち。

考察や批評が不必要となり、感じのいい案内人だけが求められる現状にあるが、作品が手に届くまでのプロセスが長ければ長いほど、そのプロセスに介入しようとするアイテムが増えた。思考も増えた。先日、自分より10歳近く年上の放送作家・オークラと対話した際に、お笑い芸人をやっていた1990年代半ばくらいでは、お笑いの教材はきわめて限られており、レンタルビデオ店に行ってもダウンタウンやウッチャンナンチャンなど、限られた人のお笑いの映像しか見ることができなかったという。結果的に、若手芸人の多くが、そういった人たちの漫才やネタを踏襲するようになっていた。今ではいくらでもお笑い芸人の映像を見ることができるが、では、どちらのほうが独創的であったかといえば、限られた教材を前に考え抜いたほうではなかったか。

「いくらでもある現在」と「限られていた過去」を情報量で比較するのではなく、時間や距離で比較する必要もある。つまり、それを味わうためには、時間をかけてどこかへ行かなければならなかったし、毎日のように新しい素材に出会えるわけではなかったので、繰り返し見て、これ以外のやりかたにはどういう可能性があるのだろうと考えこむ。今では、パソコンの中から、レンタルビデオ店を超えるほどの作品に出会える。レンタルビデオ店に行くまでにああだこうだと考える時間や距離はすっかり消えた。その時間が大切だったのではないか、と考えてみるのはノスタルジーが過ぎるのだろうか。「You」が今年の顔です、と言われてからというもの、そう考える時間は急速に薄まった。正直、You が偉そうなのだ。

２００７年に刊行されたベストセラーが渡辺淳一『鈍感力』だが、小さなことにあくせくせずにゆっくりと生きていけばいい、といった説教は、時の流れの速さに動揺する人たちを安心させたのかもしれない。もうすっかり、都会の街は、ゆっくりと生きていくためには設計されていない。レンタルビデオ店まで10分くらいかけて行って、その間に色々と考えたい。それは鈍感ではなく、この上なく敏感だと思っている。これもやっぱりまた、ノスタルジーに違いないのだけれど、書かずにはいられない。

どげんかせんと

それを見かけて、もう15年以上も経つのに、船場吉兆の「ささやき女将」は定期的に話題にあがる。「ささやき女将かよ！」というツッコミが、時折、テレビの中から聞こえてくる。

２００７年、大阪の高級料亭・船場吉兆で、消費・賞味期限偽装や産地偽装が発覚した。謝罪会見の場で、記者たちの質問に答える息子の横に座った女将が、「頭が真っ白になったと……」や「責任逃れの発言をしてしまいました……」などと、息子に言わせる言葉をささやいていた。息子を助けてやりたい一心だったそうで、マイクの性能があそこまで優れているとは思わなかった、と後に述懐している。高級料亭にはカラオケセットって常備されていないのだろうか。日頃からマイクの精度をある程度知っていれば、ささやき声がバッチリ聞き取られてしまうのなんて、当然のようにわかったこと。高級料亭に足を踏み入れたことはないが、騒然とした中で自分の声がどれだけ通るのかという判断を長い間してこなかったのかもしれない。

隣の声がいまいち聞こえない時や、内緒話のようにヒソヒソする話をしていると、この「ささやき女将」が繰り返しネタにされ、極めて安定的に笑いをとる。私たちはもはや、ささやき女将そのものよりも、「ささやき女将かよ!」というネタのほうを頭に残している。何に対する謝罪だったかよりも、その時の振る舞いが記憶される。

どんな局面でも、想定外の動きを見せると、その動きを繰り返し報じられてしまう。まさに、ささやき女将がそうだった。各種SNSが定着した時代では、いつ誰が炎上するかわからないから、とりわけ有名人はしんどい時代になったなんて言われ方をするが、有名人はこれまでもしんどかったはずである。

先日、ある男性アイドルグループのメンバーとの交際が発覚した女性の俳優が、ジュエリーが似合う有名人に贈られる賞を受賞し、記者会見の場で、記者から遠回しに交際を確認される質問を受けていた。「今の輝きは、ジュエリーの輝き? 恋の輝き?」と問いかけられると「ジュエリーです」とかわし、「指輪をもらいたい人は?」と問いかけられると、「私はご褒美として自分で買ったほうがうれしいかも」とかわしていた。この手の場では、「受賞と関係のない質問はお控えください」とあらかじめ通達されるから、こうやって少しだけ関連させながら、遠回しの質問が続く。傍観者は、なるほどそうやって絡めてくるかと失笑しながら眺めるのだが、当事者にとっては、一歩間違えれば「繰り返し使われる映像」を提供することになる。笑顔の奥というのか裏というのか、その目は鋭い。そこでの振る舞いによって、私たちはその人自身の評価を固めてしまう。ささやき女将は、人前でささやくとはどういうことかを考えなかったからこそ、あそこでささやいてしまった。すると、15年以上が経過しても、あの日の模様が掘り返されるのである。

東国原英夫が宮崎県知事に当選した年でもあるが、彼が県議会の所信表明で用いた「どげんかせんといかん」という方言は、自らがセールスマンとなって県をPRするという姿勢の象徴となり、彼はその言葉を巧妙に活用し続けた。特徴的な言葉が個人に紐づけられている場合、その個人は言葉によって大きな力を得る。東国原に対する瞬間的な熱狂もまた、使いやすい言葉を自分のものにしていたからこそだった。

政治資金収支報告書に未記載のパーティ券収入があるだけではなく、資金管理団体が議員会館を事務所にしているにもかかわらず同報告書に多額の事務所経費を計上し、そして、光熱費や水道代まで計上していたことが発覚した松岡利勝農林水産大臣が、連日国会で追及を受けていた。そこで「ナントカ還元水」という言葉が出てくる。2007年3月5日、参議院予算委員会で民主党の小川敏夫議員から「多額の光熱水費が計上されているが、どこでご使用の光熱水費を計上しているのか」と問われ、議員会館だと答えたものの、議員会館は無償であるはず、どういうことか、と続けて問われると、このように答えている。

「私のところは、水道についてはいま、ナントカ還元水とか、そういったものをつけている。また光熱費についても、暖房なりなんなり、別途そういったものが含まれていると思う」

ナントカ還元水が、どんな還元水かは語られることはなく、松岡は、議員宿舎で首吊り自殺をしてしまう。この記憶が残っている人は多いだろうが、実は「ナントカ還元水」発言の後に、政治献金が問題視され、関係者の逮捕などが相次いでいた。いかなる場合でも、命を絶った理由をひとつに決めてしまえるものではないが、「ナントカ還元水」だけが記憶に残っている。

柳沢伯夫厚生労働大臣が松江市で開かれた自民党県議の後援会の集会で、「機械って言っちゃ申し訳ないけど、15から50歳の女性の数は決まっている。子どもを産む機械、装置の数は決まっているから、あとは一人頭でがんばってもらうしかない」と発言して問題視された。これだけではない。麻生太郎外務大臣が選挙応援に駆けつけた富山県で、日本と中国の米価を比較するように「7万8000円と1万6000円はどっちが高いか、アルツハイマーの人でもわかる」と発言し、これまた謝罪に追い込まれる。この発言について、田中眞紀子元外相が「口の曲がったわけのわからないおっちょこちょいの外相が『中国のお米と日本のお米の計算がわからない人なんてアルツハイマーだ』だって、麻生こそアルツハイマーだから、そんなこと言ってるんでしょう」と述べた。呆れ果てる。

嘘と失言が立て続けに耳に入る。この年、第一次安倍晋三政権が倒れるが、2020年にもう一度安倍政権が倒れた後、それを引き継いだ菅義偉首相があまりに実力不足で、新型コロナウイルス感染拡大に伴う記者会見では、「新型コロナウイルス感染症対策分科会」の尾身茂会長に参加してもらい、困ったことがあればすぐに小さな声で「ここは尾身さんに……」と頼り、その姿が「ささやき女将状態」と揶揄されたというのは、この国の政治が限界を迎えている証拠になりかねなかった。

2006年に『TIME』が「Person of the Year」に「You」を選んだとはいえ、旧来のメディアの影響力はまだまだ大きく、記者会見にしろ、国会中継にしろ、画面に映り込んでそこで何をしたのかによって評価が激変していった。あの頃は、良い方向に転がっていかない激変ばかりを、正直、ニヤニヤしながら眺めていた。

2007年1月に放送された『発掘！　あるある大事典Ⅱ』（フジテレビ系）でコメントやデータの捏造が発覚し、番組が打ち切られた。納豆を食べるとダイエット効果がある、との放送内容だったが、アメリカの大学教授が述べた日本語字幕は捏造で、やせたと紹介された写真も無関係、実験した人たちのコレステロール値などは実際には測定していなかった、というあまりにも粗末な捏造だった。これまでの放送回でも同様の問題が複数起きていたことがわかり、視聴者の怒りを買った。納豆ダイエットについては、放送後に自分の親から連絡があり、「スーパーで納豆が買えない、そっちは納豆売ってる?」と言っていた。「あんなもの、半信半疑で見たほうがいいよ」と答えたものの、「コンビニには売ってたかも」と添えた記憶がある。事実、この放送がされてからというもの、全国各地で納豆が品薄状態になった。結果、そんなもの、嘘っぱちだったのだ。

今は、テレビから影響を受けまくる状態にはない。芸能人の熱愛も、政治家の失言も、テレビの健康情報も、伝えた通りにムーブメントになることは極めて少ない。でも、この頃はまだ、そんなことばかりだった。先日、業界歴の長い芸能レポーターがすべての番組を降板すると宣言した。どんな事情があったのかは知らないが、その弁を読むと、芸能ニュースというものが生まれにくくなった土壌も関係しているようだった。テレビという媒介物の特性として、「わたしたちが整理してお伝えします」というお節介があるが、そもそも知る必要のない芸能人の情報をわざわざ整理して伝えてくれる芸能レポーターからの恩恵を、確かに受けてきた。

下世話な興味を安定的に提供する職務が、世論の形成にある一定の役割を果たしていた。それはずっと必要のないものだったかもしれないが、時代の空気を作ってはいた。『TIM

E』誌が「You」を選んだと聞けば先進的な判断だったと感じるが、それをセンセーショナルに伝えたというのは、逆に言えば、まだまだちっとも「You」が主役ではなかったからで、あの頃は、ささやき女将やナントカ還元水に真正面から憤り、納豆がないと息子に電話をかけたり、親に教えたりしていたのである。どげんかせんといかん、という安っぽいメッセージがそれなりのブームを作り、メディアは、そういう有名知事が地方と都市の格差を埋める、ほらこのように、という実例として褒め続けていたのだが、あれは私たちがまだメディアというものに従順さを持っていた証というか、今となってはちょっと恥ずかしい、みんなで忘れたい思い出のようにも見える。

船場吉兆だけではなく、ミートホープが牛肉に豚肉や鶏肉などを混ぜ込んだものを牛ミンチとして発売したり、和菓子の赤福で消費期限偽装や期限切れ商品の再利用等が起きるなどした。いずれも、どうしてこんなんで騙せると思ったんだろうと首を傾げる事象ばかりだったが、納豆を買いに走った私たちが確かにいたからだろう。

社会人になって数年目なので、とにかく慌ただしくしていたが、テレビをつけて、その中で叩かれている人に、便乗するように直情的に怒りをぶつけ、うさを晴らしていた。2008年になるとリーマンショックが起き、世界規模の金融危機に陥るのだが、そもそもショック状態がデフォルトになっている出版業界にはそこまでの新たなショックは感じられず、それよりもむしろ、秋葉原の歩行者天国で無差別殺人事件を起こした男性が、かつて、神戸連続児童殺傷事件の犯人がそうだったように、自分とまったく同い年で、彼の雇用形態が工場で働く派遣労働者だったことも相まって、不幸な世代であるとの論調が再浮上したことのほうが、ショックとしては当然大きかった。またアレが、つまり、自分の世代を指差して、いい加減な世代論が始まるのかと身構えた。もう構えた時点でぐったりしていた。あの時に似た、いやな感じがした。

お前らにはわからないだろうな

「ものすごい不安とか、お前らにはわからないだろうな」

「俺がなにか事件を起こしたら、みんな『まさかあいつが』って言うんだろ」

「作業場行ったらツナギが無かった　辞めろってか　わかったよ」

「車でつっこんで、車が使えなくなったらナイフを使います」

　２００８年6月8日、秋葉原の歩行者天国にトラックで突入した後、行き交う人々をナイフで無差別に殺傷した加藤智大が、犯行に及ぶ前に携帯サイトに書き込んでいた文言の一部だ。動画サイトにその日のニュースの模様が残っているが、わざわざ確認しなくても、監視カメラに映り込むトラックの形状や速度感を頭の中で再現できる。大通りから入ったところで警察と向き合う加藤の映像も何度も繰り返し放送されていた。

　あらかじめ社会への不平不満を漏らし、その苛立ちを誰かではなく不特定多数に向ける。

どうしてそれくらいのことで、と口に出しそうになるが、そういう軽視を彼自身が何よりも強く恨んでいたと知る。彼の行為を社会全体の問題として膨らませれば膨らませるほど、彼自身の狙いに寄り添っているように感じられてしまう心地悪さがあったが、メディアはいつものように加害者の特性を決めつける作業を急ぎ、たとえ論旨が薄くても、ショッキングな映像を挟み込み続けながら説得力として育てようとしていた。やっぱりそれは、彼があらかじめ告知していたような光景だった。だとすると、彼の告知に応える形になってはいなかったか。

加藤は1982年生まれ。またしても自分と同い年だ。「キレる若者」とされた世代が社会に出ると、なかなか潤沢に居場所が用意されていなかった。派遣労働ならば、定期的にやってくる契約期間延長の有無に怯えるように過ごし、自分の価値が軽々しく値踏みされても澄まし顔を求められ、そんな中で評価されなければ、たちまち雇用が失われる。会社の寮に入っていれば、住む場所も失い、生活の基盤そのものが壊れてしまう。この年、1929年に発表された小林多喜二の小説『蟹工船』が注目された。「おい、地獄さ行ぐんだで!」と始まる小説は、オホーツク海の蟹工船で繰り広げられる過酷な労働の中、労働者が団結して闘争を試みる作品だが、派遣切りが横行する労働市場との共通項も多く、書店店頭で大きく展開されていた。ただし、厳しい労働環境にある若者たちの支えとなっている、というような雰囲気を作り上げていたのは当事者ではなかった。

「『蟹工船』悲しき再脚光　格差嘆き　若者共感　古典では異例の増刷」（5月2日夕刊）と題した記事を一面に載せた読売新聞は「丸善丸の内本店など大手書店では「現代の『ワーキングプア』にも重なる過酷な労働環境を描いた名作が平成の『格差社会』に大復活!!」などと書かれた店頭広告を立て、平積みしている」と紹介しているのだが、東京駅のそばにある丸善丸の内本店といえば、日本全体の労働環境の平均値とは到底思えないビジネスマンをターゲットとしたお店だし、「『ワーキングプア』が社会問題となる平成の若者を中心に読まれている」との分析は、「平成の若者」として、無条件に首肯できるものではなかった。

後を追うように「蟹工船　はまる若者」（5月13日・朝日新聞）、「突然のブーム　ワーキングプアの〝連帯感〟」（5月14日・産経新聞）との記事も出ている。えっ、本当にあったたっけ、そんな連帯感。このブームのきっかけを作ったとされるのが、この年の年始（1月9日）、毎日新聞に掲載された高橋源一郎と雨宮処凛による対談「08年「格差社会」の希望を問う」。そこでは「雨宮　昭和初期の作品ですが、たまたま昨日、『蟹工船』を読んで、今のフリーターと状況が似ていると思いました」「高橋　偶然ですが、僕が教えている大学のゼミでも最近読みました。そして意外なことに、学生の感想は『よく分かる』だった。僕は以前、『昔はプロレタリアというものがいたんだ』と、この小説を歴史として読んだけれど、今の子は

『これ、自分と同じだよ』となるんですね」とのやりとりがある。あくまでも近似性を語っているのであって、果たして書店店頭での賑わいによって「連体感」を生んだかは怪しいのだが、作品が持つ普遍性を伝え、現状の労働環境の危うさに着目してもらいたい、という狙いは否定されるものではない。日本共産党のウェブサイトには、「ＪＣＰ　プラスター　ミニビラ　シールコレクション」というページがあり、これまで各地で使われたものがアーカイブされているのだが、そこには、「多喜二の声が聞こえるんだ!!」「『蟹工船』知ってる？ひどい働き方いっしょに変えよう」といったものが確認できる。このように活用されていったのだ。

秋葉原無差別殺傷事件と蟹工船ブームは同じ２００８年に起きているが、記憶とは適当なもので、自分の記憶では「秋葉原の事件が起きた後、蟹工船が注目された」となっていたが、辿ってみれば、むしろ、秋葉原の事件の直前に各メディアが『蟹工船』を取り上げていた、が正確だった。

「東京・秋葉原の電気街での無差別殺傷事件で、殺人未遂容疑で逮捕された派遣社員加藤智大容疑者（25）が警視庁の調べに、『仕事がうまくいかず、むしゃくしゃしていた』『仕事に不満があった』などと供述していることがわかった。仕事上の問題が事件につながった可能性もあるとみて、警視庁は調べている」（6月10日・朝日新聞）などと報じられていたことに対し、加藤は自著『解』で、「私から仕事への不満を話したということはありません。また、そもそも私には仕事への不満など無かったのですが」「何かあっただろうかと考えて、そういえばこんなトラブルがありました、と答えただけのことです」とし、それを動機として伝えた記事について、「仕事上の問題を動機とみた捜査機関が、それに合う犯人像を創るために、ある事ない事を広報したものでしょう」と書いている。彼の言い分を優先するのも危ういが、彼の言い分を度外視するのもまた危ういのであって、メディアが『蟹工船』の存在を盛りながら、「はまる若者」「連帯感」と作り上げた流れと同じように、「それに合う犯人像」にはめこんでいった傾向は否めない。

この年の3月には、茨城県土浦市で連続通り魔事件が発生、9人を殺傷したのが金川真大。読売新聞水戸支局取材班『死刑のための殺人　土浦連続通り魔事件・死刑囚の記録』のなかで、金川について、「実際に彼と会うと、迷いが生まれた。礼儀正しく、約束は守る。幼なじみとの会話で涙ぐむ。私には、彼がどこにでもいる青年のように見えることがあった」「だからなのかもしれない。『もしどこかでつまずいていれば、自分も同じようになっていたかもしれない』。そんな思いさえ抱くようになった。それは私だけの特別な感情ではなく、同僚記者も同じだった」と書かれている。

本当によく、「どこにでもいる青年のように見える」と言われる。この事件があり、蟹工船ブームがあり、秋葉原の事件があった。若者を語るメディア人の多くは、これまで大きく「つまずいて」こなかった人が多いようで、だからこそ、「自分も同じようになっていたかもしれない（でも、そうはならなかった）」と季節の挨拶のように繰り返してくる。距離を近づける作業によって、本来の距離を知らせるのだ。出版社の正社員として働いていた自分にもそんな自覚がある。家の本棚にある『蟹工船』の新潮文庫の帯には１００冊フェア専用の帯が巻かれており、帯の裏には「Yonda? マスコット人形　２冊読んだら、必ずもらえる」とある。調べてみると、２００６年のキャンペーンだったようだから、ずっと前に購入していたわけではなく、出版社で働く人間として、このブームをちゃんと追いかけておこうくらいの気持ちで、書店に並んでいた在庫を急いで手にしていたようなのだ。あれが今になって読まれるのはわかる、ではなく、なぜ売れているのかを知るために買っていた。もしかして、文字通り「はまる若者」だったのだろうか。いや、どうしてこういうものに若者がはまるのかを確かめようとする若者だった。そっちのほうが、はまる若者より多かったのではないか、と今さら思う。連帯ではなかった。

誰でもよかった、という犯罪者の声は常套句のように受け止められるが、いつものように背景を探り出す行為と、繰り返されるこの声は、どこかで連関しているのだろうか。この反復の中で「若者」として存在し続けてきたので、たとえば「心の闇」といった言葉に敏感にはなる。以前、小説やシナリオの書き手に向けた辞典、「より魅力的なキャラクターを作りあげるために必要な、あらゆる心の傷／トラウマについて網羅した、一風変わった強力な辞典！」と説明書きにある『トラウマ類語辞典』の推薦文を依頼され、悩みもせず、一筆書きのように「『心の闇』なんて言いますが、心なんて押し並べて闇です。私が知りたいのは、闇の種類です」と書いたところ、ＳＮＳで多くの人に拡散されたのだが、闇の種類を知りたい、というか、もっと慎重に問えよ、という苛立ちは、長年安っぽくターゲットにされてきた人間にはとても色濃く残り続けている。

世代や地域や性別などで括る。それを定期的に受けてきた。だから秋葉原の事件の時も、この段階、つまり、社会人になってもやられるのかと、「闇の種類」が増えていった。しかし、その闇の中には、あんなのと一緒にすんなよ、という排他的な感情も強く、こっちはそれなりにちゃんとやってんだからマジで勘弁してくれよという感覚も存在しており、それは神戸連続児童殺傷事件の際に感じた「一緒にすんなよ」とは性質が異なっていた。こっちはこっちでそういうのと関係のないところでなんとかやっているんだから、と遠ざけるための力と頭があった。あの時代に『蟹工船』を買った人たちがどんな動機で買い求めたのか、改めて明らかになることはないだろうが、決して「はまる」わけではなく、むしろ、遠ざけるために読まれていたのではないか。自分はどうやらそうだった。

若者の貧困問題はより深刻になっている。ところが、依然として、「でもこれは私たちのことではない」という意向が漏れる言葉遣いも目立つ。強い気持ちを持って問題を告発したり、拡散させようと試みている人たちよりも、簡素にまとめあげる力が強く、そうなると、加藤智大が書いた「ものすごい不安とか、お前らにはわからないだろうな」は、それなりに的を射た問いかけにも思えてしまう。それは決して共感や理解ではなく、この意見の存在をひとまず片さずに認識しておきたい、という程度だが、それを「共感するのか」や「理解しちゃっていいのか」と取り除く腕力は強い。そういうことではないのに。この腕力にずっと翻弄されてきたのかもしれない。２０２２年、加藤の死刑が執行された。

若者ではない人が若者を理解しようと試みたものの理解できない様子は常に続いているので、いい加減、それはもう理解しなくても構わないものと位置付けるべきだと思うのだが、その流れは意外にも強まらない。

コの字形の長いテーブルに座り、10人近くで行われるタイプの真面目な会議では、「今、若者の間では何が流行っているのか？」というお題に対して、あやふやな印象論とあやふやな伝聞が重なり合い、解像度の低い若者像が走り出したりする。そういう場に居合わせるのは年に数回だが、「若者はすぐに若者ではなくなるのに対し、中年は割と長いこと中年なのだから、そんなに気にしなくてもいいのではないか」という、中年の入り口にいる実感を素直に伝えてみても、「Z世代がどうのこうの」といった話が優先されていく。若者を「理解しなければならないもの」として、そこに嬉しそうに向かっていく。結果、完全には理解できないけれど、ひとまずやってみようと動き出す。この流れが続く。世代論がひたすら続くのは、相応の年齢の人たちが、伸びしろのある世代を評価したくてたまらない欲望を隠さないから。でも、それ、もしかしたら、おおよそ要らないやつなのかもしれない。若者が一番嫌うのは、大人に伸びしろを管理されることだ。

テレビを眺めていたら、都心で3畳程度の部屋に住む若者が増えてきており、収納スペースはほとんどなく、風呂なしでシャワーのみ、梯子を登ってロフトのベッドで寝る狭小空間なのに、モノを持たない若者には人気、セキュリティもしっかりしている、さて、駅からほど近いこの部屋の家賃はいくらでしょうか……と問いかけていた。スタジオにいる芸能人による、7万、8万あたりとの予想に反し、その家賃は10万円台。各々が「高い！」と連呼した後に、これだけの金額を支払える若者は恵まれているのではないか、という空気を作り出していく。

特別な事例を強調しながら、自分の若者時代と比較検討してみる強引さは、世代論の支えとなってきた。「Zの時代　平成はとなりのレトロ」（日経ＭＪ・２０２２年3月11日）に、「自分らしくありたい気持ちが色濃く反映された平成のファッションなどに憧れる若者が目立つ。新型コロナウイルス下などで先行きが不透明な現代だからこそ、平成の前向きでポップな一面が若者の心をつかんでいる」という文言を見かける。ファッションはある一定のサイクルを繰り返しており、どんな時代でも「親のお下がりだけど、意外と着れるじゃん」という状態が生まれるのだが、「平成のファッション」には、いつの間にか気持ちまで盛り込まれており、あの頃のファッションは「自分らしくありたい気持ち」ゆえのものであって、「前向きでポップ」で若者の心を摑んでいるそう。本当だろうか。

気持ち、というのは、その都度、個別に保存するのが難しく、上書き保存していくしかない。平成の一時期に流行ったルーズソックスにしろ、バーバリーのマフラーにしろ、他校のバッグを持ってみる流行りにしろ、自分の高校時代に発生していたのは同調圧力そのもので、むしろ、「自分らしくありたい」という心がけとは逆行していた。現時点での後ろ向きな実感は、不正確な気持ちなのだろうか。

「不透明な現代」を作ったのは若者ではなく大人だが、「不透明な現代」に直面するのは若者。これもまた、いつの時代も変わらない不条理である。3畳程度の部屋なのに家賃が10万円もすると恵まれていると言われ、何十年も前の風呂なしアパートの苦節時代を被せながら共感をさらっていくような光景がずっと続く。若者論をイヤイヤ受け止めていた人たちが、いつの間にか発信するほうに回る。その転換点は誰も教えてくれない。若者は煙たがられ、若者が若者ではなくなった頃に、これまで若者だった人が若者を煙たがるようになる。「不透明な現代だからこそ」って、時代は常に不透明なものである。透明だと言い張る人がいたら、その人のバイアスを疑わなければいけない。

２００8年にスウェーデンのＨ＆Ｍが、２００9年にアメリカのフォーエバー21が日本に上陸、繁華街に出向くたびに、その手のファストファッションの店舗が増殖しているのを見かけた。１０００坪近い大型書店・ブックファースト渋谷店が２００7年に閉店すると、その跡地にＨ＆Ｍが入り、２０1０年に閉店したＣＤショップ・ＨＭＶ渋谷店の跡地にはフォーエバー21が入った。「ああもう、渋谷から文化が消えてしまったよ」とぼやいてみるにはこの上ない状態で、自分ももちろんその言い分に乗っかった。これまで渋谷にさほどの縁もなかったというのに。

閉店前のブックファースト渋谷店は、出版社で営業部員だった頃に担当していた最重要店舗。地下1階にあるバックヤードの奥にいる仕入れ担当者を捕まえて話を聞いてもらうのは容易ではない。取り込み中ならば近くの喫茶店で長すぎる休みをとり、周りに誰もいなくなったタイミングを見つけて、翌月の新刊の中から大きく仕掛けてもらいたい本をプレゼンする。個人的には気乗りしなかった「若者の間で方言が流行っている！」という無理のある前提の本についていい加減に伝えると、なぜ、乗り気でないのにその本をプレゼンしてくるのかと、先方が首を傾げる。こちらも首を傾げる。この傾げ合いは双方の信頼を生んだのだが、社内で重点的に展開するように決められていた書籍だったこともあり、後日、上司と改めてプレゼンしにいった。結果、それなりに大きめに展開することとなり、その展開の様子が情報番組で取り上げられた。「渋谷にいる流行に敏感な若者が、方言を使い始めている」、端的に嘘である。でも、こうしたちょっとした現象くらい、わりかし少人数の大人たちの政治力で作れると知った。「流行」ではなく、実態は「仁義」だったから、現代のようにあれこれ可視化されるビジネスよりも、ひとまず形にしやすかったのだろうか。

方言がブームになっていると伝える様子を見て、「自分たち若者の間で方言が流行っているらしいからと、実際に方言を取り込んだ人」は極めて少ないだろう。逆に、「若者たちの間では方言が流行っているのだとあちこちに吹聴した人」は多いはず。決して、「自分らしくありたい気持ちが色濃く反映された」ものではなかったし、気持ちの濃い・薄いではなく、そもそもその気持ちが存在しないものであっても、濃くなってきたと思わせる腕力が機能する時代ではあった。

ＳＮＳが隆盛して以降、この手の流行の作られ方は難しくなった。消費行動が細かく追いかけられてしまう時代には、ハッタリが利かない。ハッタリと癒着が近いところにあり、かけ合わさると流行らしきものが生まれていた時代ではないのだ。今、「平成のファッションなどに憧れる若者が目立つ」と言われて、すぐに「そりゃないよ！」と返せるのは、それがごく一部の動きであることを手短に立証できるから。テレビ局のクルーはそれでもやっぱり渋谷の街に降り立つが、あの街はもはや流行発信地ではない。そもそも、流行発信地というより、「流行発信地ってことにしたい人たちが活用する場所」だったのかもしれない。ブックファースト渋谷店の跡地を通りかかるたび、方言を流行らせようとした一連の流れを思い出す。今、ネット書店でこの方言本をチェックしてみたら、誰一人として評価を書き込んでいなかった。特定の著者がいるわけでもなく、編集プロダクションが急いで作った本のようだった。

２００６年にＣＤデビューしたＡＫＢ48が、ファン投票によってシングル曲を歌う選抜メンバーを決める「ＡＫＢ48選抜総選挙」を開始したのが２００９年。この年のオリコンＣＤシングル年間売上ランキングトップ10はジャニーズ勢が大半だったが、翌年２０１０年になると、ＡＫＢ48と嵐で二分するようになり、２０１１年・２０１２年はトップ5をＡＫＢ48が独占した。投票券目当ての大量買いという下品な商法は問題視されながらも結果を残し、長年、あちこちのＢＯＯＫＯＦＦに通ってきた自分は、どの店舗に行っても、投票券を抜いた状態のシングルがレジ横に堆く積み上げられているのを見た。下品な商法だが、実数で人気を計測するリアリティがあった。いや、大量買いだからリアリティなんてないのだが、投票してくれた人たちに向けて涙ながら感謝を述べる光景を前に、需給関係だけはリアルに成立してしまっていた。方言が流行っている、みたいなものとは異なる、確かな流行だったのだ。

2009年8月、衆議院選挙で民主党が勝利し、政権が交代した。支持率が低迷していた麻生太郎内閣を倒すために民主党が揃えたのが、いわゆる「小沢ガールズ」。自民党の大物議員が選出されている選挙区に集中して比較的若い女性候補をぶつけ、勝利を得た。「新議員会館、6階は『小沢ガールズストリート』の様相」(朝日新聞デジタル・2010年2月4日)という記事が残っている。「小沢一郎幹事長の側近や昨年の衆院選で当選した女性議員たちは小沢氏に近い部屋になり、小沢氏に批判的な議員たちは別の階や別棟を指定された」そうで、「小沢氏の覚えがめでたいとされる小宮山泰子、青木愛の両氏に加え、昨年衆院選で初当選した田中美絵子、山尾志桜里、福田衣里子、小原舞、櫛渕万里の各氏も同じ階に。6階は『小沢ガールズストリート』の様相だ」とある。覚えがめでたい、という形容を皮肉として使っているのか、素直に使っているのかは定かではないが、ベテラン男性だらけの自民党政権を、寄せ集めに見えた「ガールズ」が倒し、「覚えがめでたい」順番に小沢一郎のそばに部屋が設けられたというのは、あたかもＡＫＢ48選抜総選挙のようなのだが、もしかして「ガールズストリート」の存在を「政治が変わっていく光景」として理解を示していたのだろうか。そのガールズストリートは、今はもう議員会館内に存在していないが、それはガールズの問題ではなく、ガールズを作り出したほうの問題。担ぎ出されたとはいえ、なんだかんだで自ら勝利したガールズの価値を、未熟だがフレッシュな存在として打ち出し、やがてフレッシュが取り外され、未熟とされた。

アイドルの世界では、選抜総選挙で上位になろうとも、個人にスキャンダルが発覚すれば左遷させたり、坊主にさせたりする非道な仕組みが、それなりに通用していた。では、その手口は今、切り替わったのだろうか。限られた大人の腕力でブームは作れなくなったが、ありとあらゆるものが可視化されるなかで、若者は、女性は、政治家は、「自分らしく」振舞えるようになったのだろうか。渋谷に行けば、「自分らしくありたい気持ちが色濃く反映されたファッション」を身にまとった人たちが、自分にはまだまだ足りない自分らしさを追い求めているのだろうか。今、ガールズストリートなんて命名したら、方々から問題視されるはず。そういうことにしておこう、という策略を前に手厳しい声がいくつも向かうようになったのは、むしろ、あの頃よりも「透明な現代」になっているのかもしれない。

いつ、「政治」というものを覚え、自分の中に染み込ませるようになったかは定かではない。でも、政治とは生活なのだから、そのタイミングが定かである必要もない。

鳩山由紀夫首相による「トラスト・ミー」発言はいつ思い出しても滑稽だが笑ってはいられない。アメリカ軍普天間基地の移設問題について「最低でも県外」と言い切り、自民党政権からは決して出てこなかった覚悟ある発言が買われて高い支持を得た鳩山政権だったが、移設候補地として鳩山の頭にあった鹿児島県徳之島について、早々にアメリカからも地元からも拒否されてしまった。そこからしぶとく交渉をし直すでもなく、２０１０年の日米共同声明には、これまでの自民党政権と同様に辺野古移設が明記された。２００９年11月のオバマ大統領との会見で述べた「トラスト・ミー」発言以降、とにかく何の変化も起こせなかった。

そもそも「トラスト・ミー」と吹聴している人って、それだけでトラストしにくいが、2014年になり、鳩山がこの発言について、「大統領が好きだというパンケーキを出して『食べろ』と言ったら、おなかいっぱいだと食べてくれなかった。そのときトラスト・ミーと言った」と言い訳している。たとえ、本当にその意味で使われていたのだとしても、おなかがいっぱいと言っている人に対して、さらに食べるように促しながら「トラスト・ミー」と言うのは相当おかしくないかと思ったのだが、この手の珍妙な展開が、残念ながら民主党政権にはいくつも転がった。あたかも課題解決に動き出しているかのように見せつける技術、不都合な出来事はできるだけ表に出さないようにする技術、自民党政権が長い時間をかけて蓄えてきたこれらの技術を民主党政権が持ち得ていないのは致し方なかったが、付け焼き刃の「やってる感」さえ作り出せなかったのはさすがに稚拙だった。

鳩山由紀夫に続いて首相になった菅直人が就任会見で述べたスローガンが「最小不幸社会」。就任直後の会見で、「私は、政治の役割というのは、国民が不幸になる要素、あるいは世界の人々が不幸になる要素をいかに少なくしていくのか、最小不幸の社会をつくることにあると考えております。勿論、大きな幸福を求めることが重要でありますが、それは、例えば恋愛とか、あるいは自分の好きな絵を描くとか、そういうところにはあまり政治が関与すべきではなくて、逆に貧困、あるいは戦争、そういったことをなくすることにこそ政治が力を尽くすべきだと、このように考えているからであります」と述べた。あたかも、政治家を目指す中学生が何かしらのコンクールに向けて一生懸命書いた作文のようだったが、その宣言に続く主張そのものはいたって普遍的なもの。財政や社会保障を立て直し、地球温暖化対策を講じ、日米関係においては沖縄の負担軽減を進めるというのだから、ここから10年後の現在と変わりはない。政治家が国民にアピールする基本的な要素がもう長いこと変わらないというのは、政治はなかなか社会を変えられない、いや、そもそも変えようとしていないのか、という疑いを浮上させる。

最小不幸社会というネーミングがひとまず受け止められたのは、相応の不幸が充満しているという自覚が個々人にあったからなのだろう。2010年1月に放送されたNHKスペシャル『無縁社会　〝無縁死〟3万2千人の衝撃』が話題となり、ワイドショー等でも、この番組を薄めて伸ばしたような特集が繰り返された。無縁死とは文字通り、家族との人間関係が一切なくなり、職場や地域社会との繋がりも極めて薄く、遺骨の引き取り手がない死者のこと。番組では、特殊清掃業者が遺骨を宅配便で無縁墓地に送る様子が映されており、その品名には「陶器1個」と明記されていた。

1998年から14年連続で年間3万人を超えていた自殺者数がようやく3万人を割るのが2012年のこと。上野千鶴子『おひとりさまの老後』が刊行されたのが2007年、もはや旧来の家族の形にとらわれる必要はないのでは、という考え方は徐々に広まっていったもののの、残念ながら社会に定着するほどではなく、むしろ具体的な数値として打ち出される無縁死や自殺者の数値が、旧来の価値観が変化していく勢いをせき止めていた。

東日本大震災は誰にとっても価値観を一変させる出来事になったが、その前の数年に起きた出来事の記憶や実感が乏しくなる。誰と何をしていたのだろう。何を問題視していたのだろう。石原慎太郎は震災直後に「津波は天罰、我欲を洗い落とす必要がある」と毎度の暴言癖で批判を浴びたのだが、一体、彼は、震災前の私たちの、どんな欲を問題視していたのだろう。彼の言い訳を聞いておこう。

「日本全体が弛緩してきたので1つの戒めだという意味で言ったんだ。私だけじゃないんですよ。関東大震災のときも新渡戸稲造とか、当時の代表的な知識人が、『これは天罰だ』と言っているんですよ。大正デモクラシーでみんなが浮かれて、ふわふわしているときに関東大震災が起きた。そういう意味で僕は言ったんですよ」

日経ビジネスの特集「20110311144618.1　あの瞬間とわたし」のインタビューが残っている。よく意味がわからない。特に意味なんてないのかもしれない。彼の言い分に従うと、震災がやってくる前、私たちは弛緩していて、ふわふわしていたことになる。自殺者がちっとも減らない無縁社会のなかで、不幸を無くすのではなく、不幸を最小にしますという、開のだろうか。

き直りと思えなくもない宣言についても、ひとまず受け止めていた。私たちは弛緩していた

ふわふわしていたのは、「五輪開催を起爆剤として日本を覆う閉塞感を打破する」などと言いながら、2009年に、2016年の東京五輪招致を逃していた石原自身ではなかったか。閉塞感はあった。弛緩していた。ふわふわしていた。それはどこで誰が作ってきたものなのか。不幸の発生源を社会の仕組みに見つけ出そうとする行為に対して、いや、あなたちの気が緩んでいるからだと為政者が跳ね返してくるのは、自己責任社会の強力な亜種だ。

2010年は、編集者としての長めの見習い期間を経て、ようやく自分の裁量で書籍やムックの編集に踏み出せるようになった時期でもあったのだが、そこで取り組んだ一冊が『文藝別冊　本田靖春　「戦後」を追い続けたジャーナリスト』だった。2004年に亡くなったジャーナリストを追想する企画をなぜやろうかと思ったかと言えば、ただ好きで読んできた、でしかなかったのだが、編集作業を進めるうちに一丁前の理由が頭の中に生まれてくる。本作りを進めながら理由を補強していく、というのは編集者の醍醐味でもある。巻頭に収録した佐野眞一と吉見俊哉の対談では、やたらと長い編集者の前口上、つまり、自分の見解が述べられている。

一昨年（2008年）からノンフィクション系の雑誌が相次いで倒れ、ノンフィクション

を載せる媒体の消失が叫ばれるようになった。本田がかつて『「戦後」美空ひばりとその時代』の文庫版あとがきに「昭和天皇は焼け跡を庶民と分け合ったわけではない、本当に焼け跡を庶民と分け合ったのは、いつも地べたにいた美空ひばりだった」と書いていたことを紹介し、本田自身やその作品の視座こそが「戦後の地べた」ではなかったか……などと編集者が偉そうに言っている。

「我欲」が漏れ出た前口上だが、確かにこの少し前に、「月刊現代」「月刊PLAYBOY・日本版」「諸君!」「論座」などの雑誌が立て続けに休刊してしまい、ノンフィクションや長いオピニオンを載せる媒体が一気になくなってしまった。その語りに懐古主義の傾向があったことは否めないが、これからはネットに移行していくだけでしょ、と急いでまとめる動きに付き合いたくなかった。

分岐点に立って本田靖春を改めて読み直す企画は、新聞等でも積極的に取り上げられた。自分自身がまだ20代だったこともあり、どうしてこんな若造が、という取り上げ方も多かったのだが、本田靖春作品が読み直されるきっかけを作ったのは私ではなく、当時、岩手県のさわや書店本店に勤めていた書店員・松本大介である。彼が本田の代表作『誘拐』につけたポップが話題となり、全国の書店に波及していった。「これほど魂を揺さぶられる本には今迄出会ったことがない」とのコピーを記した手書きポップは強烈で、本書のために松本に原稿を依頼すると、そこに「私は本田靖春に間に合わなかった」とあった。1977年生まれの松本は「間に合わなかった私にできることはただ一つ、残された著作を大切に売ることだけだ。なぜなら私がそうであったように、ジャーナリズムは伝染するのだから」と原稿を閉じている。間に合わなかったは自分の理由にもなった。自分はノンフィクションを書く書き手ではないが、この「間に合わなかった」感覚はどんな時代の現在地を問う上でも重要だと感じている。

『誘拐』は、1963年、東京オリンピックの前年に下町で起きた「吉展ちゃん誘拐事件」を追った作品だが、犯人の小原保は東北の貧農の出身で、不自由な足を引きずりながら東京での生活に馴染めずにいた。戦後日本の都市と地方の断絶を小原の足跡から浮き上がらせる作品でもあるのだが、この『誘拐』と、連続射殺魔・永山則夫を扱った見田宗介『まなざしの地獄』は、「問題意識のレベルで似たところがあります」と吉見俊哉が語っている。永山もまた東北から東京に出てきた存在で、「豊かさの幻想に一生懸命仲間入りしようとしながら仲間入りできない。東京という他者のまなざしが東北から出てきた貧しい若者を刺し殺したのだともいえます」とある。そういった複眼のまなざしに共通項を見つけ出していた。

再び対談に割り込んだ編集者（私）が、本田さんの作品は「『こいつは悪いヤツなんだ』ではなく、『なぜこいつがこうなってしまったのか』へと向かう優しさと厳しさがあった」

などと述べているのだが、この翌年、東日本大震災が起き、福島第一原発が爆発し、その時になってようやく、そうか、東京の電力って、あっちから来ていたのかと東北を見つめるようになったことを思い出す時、本田靖春が持っていたまなざしをちっとも体得できていなかったことにようやく気づく。

とはいえ、「我欲を洗い落とす必要がある」なんて言ってくる人に対しては、そのままおうむ返しするくらいの術は持っていた。２０１１年の東日本大震災以前に何が語られていたのか、語られていなかったのか。つい、忘れがちになるが、自分の場合は、本田靖春を改めて問うていたタイミングであり、その作品に残されていた言葉が、「トラスト・ミー」や「最小不幸社会」などの不安定な言葉や、「我欲を洗い落とす必要がある」といった弛緩した言葉を駆逐する助けになった。

震災の日、東京で

２０１１年3月11日、東日本大震災が発生した時には、国立競技場の斜め前にある出版社で、文芸誌の締め切り作業に追われていた。紙の束の上に本を載せ、更にその上に紙の束を載せて、そのどこかに経理に提出しなければいけない書類を挟み込んでおいた結果、紛失してしまって経理担当から叱られる、そんな荒れた机で仕事をしている人たちばかりだったので、大きな揺れに耐えられるはずもなく、手裏剣のように紙が飛び交った。

揺れの大きさを理解したそれぞれが、今、一番必要とするゲラ刷りを探して手に持つスピードを覚えている。さすが編集者、と褒めるわけにはいかない。結果として本棚もだいぶ傾いていたから、一歩間違えれば命の危険があった。社屋の前にある明治公園に逃げ込んだものの、金曜日の午後ということもあって、すぐに戻って仕事を続けようとする人までおり、浮き足立った判断を重ねていた。

宅配便の集荷が18時までなので、毎日、その時間をめがけて、編集者が著者やデザイナーに送る素材の準備を進める。とりわけ金曜日は週末を挟むので、自分たちは休むくせに、相手には仕事をしてもらうための作業が立て込んでいた。宅配業者のオジさんは、18時に締め切って、然るべき時間に集荷センターに届けないと、翌日の午前着指定ができなくなってしまう。それなのに、18時ジャストにオジさんが待つ社内の集荷場にやってきて、そこから荷造りを始め、送り状を書く。「もう6時なんだから、ダメダメ」という声に対し、「すみません！」と元気よく言う連中は、ダメダメと言いながらもオジさんが待ってくれるのを知っている。その連中の一人というか、中心にいたのが自分だった。あれだけ大きな地震があった後でも、少なくない編集者が、一番大切なゲラ刷りを咄嗟に手に持ち、18時の集荷締め切りに向けて仕事をこなそうとしていた。いや、それどころではないぞ、と実感するまでにはそれなりの時間を要した。明治公園に集っていた人たちは、不安そうな顔をしながらも、どのタイミングで通常業務や生活に戻ればいいのかと画策していた。

その日で会社の編集部アルバイトを辞める女性がいた。さすがに、18時の集荷とか、そんなこと言っている場合ではなさそうだ、となり、住んでいる地域が近い人たちは一緒に帰るように、との通達が会社から下され、その女性と二人で帰ることになった。2時間ほど一緒に歩く。このまま歩くよりもマシだと考えたのか、いち早く家に帰りたかったのか、自転車店で自転車を買う人が列を作っていた。ヒールの高い靴を履いている人が靴屋でランニングシューズを買い、指先にハイヒールを引っ掛けながら勢いよく歩いていた。まだ情報が行き渡っていなかったからか、通りかかったホルモン焼き屋が繁盛しており、店外まで響くような笑い声が飛び交っていた。すぐあとに惨状を繰り返し目の当たりにするわけだが、だからこそ、気づく前の、あの笑い声が忘れられない。人は「なんか大変なことになっているのかもしれない」という不安を、ああやって打破しようとしてしまうものなのだ。

一緒に歩いていた女性は、ファッション誌の仕事に就きたいと思っている、今のファッション誌の問題点は……と、希望に満ちているからこその苦言や提言を並べていった。時たまケータイを見て、家から送られてくる崩れた本棚の画像に動揺していたのだが、彼女の熱弁がどこまでも続くのでそちらを聞き取ることを優先していた。今起きてしまっている状況を考えずにいられる時間が続いたので、あの日の動揺は人より薄かったのかもしれないが、比べるものでもない。不安そうな顔の人と、不安を隠している顔の人がいた。

街を歩く自分の周囲がそうだっただけだったかもしれないが、話す相手がいる人は、もれなく大きめの声を出していて、でも、それが一体感に繋がらない空虚さがあった。あっ、私はこっちなんで、これまでありがとうございました、と交差点で別れる。その人がその後、どこでどういう仕事をしているのかが一切わからないのだが、あれほど熱弁していたのだし、この業界にいれば、どこかですれ違うこともあるのかもしれない。最後の勤務日だったその人がいてくれたおかげで、どんな日よりも不安な帰路に、不安を無理やり隠せた。

夜になって、妻と二人で暮らしている家に、デザイナーをやっている友人の女性が恐怖に震えながらやってきて、二人がけのソファーに三人横並びとなり、テレビを見続けていた。余震に驚く以外、とにかくずっと言葉を失っており、それぞれが力を使い果たしたかのように眠りこけ、目を覚ますと終電の座席のような無理な体勢で並んでいた。友人は「締め切りがヤバイから」と自転車で会社に出かけていった。自分もパソコンを開き、最低限の仕事を進めていた。前日までの生活を強引に保とうとした。

その週末には友人たちと食事をし、翌週からも、4月上旬に出る雑誌の編集作業に追われた。手帳にそう残されている。今、震災当日からの出来事として記録されている、「12日に福島第一原発が爆発し、放射性物質が拡散される」「14日、東京電力管内で計画停電を実施」「18日、原子力安全・保安院が原発事故のレベルを『5』と発表」「25日、第一原発から半径20〜30キロ圏内の住民に避難要請」といった経緯には覚えがあるのだが、そんな中でも極力いつも通りに暮らそうとしていた自分の記憶が薄い。食事した店は覚えているし、雑誌は無事に出た。今起きていることを都合に応じて受け止めずに麻痺させるのは危ういのだが、その危うさの中で、なんとか毎日を乗り越えていたらしい。

今、一目散に現場にかけつけた在京メディアの記事は数多く残されているものの、災後1週間ほどの、それでもなんとか普段通りの生活を続けようと試みてしまった在京の感覚は残りにくい。自分もはっきりと思い出せない。せり上がってくる不安を、他人との会話の中で微調整しながら、なんとか保っていたのだろうか。

この微調整をずっと続けてきたようにも思える。大きな地震と事故が起きたが、目の前にはそのまま保ちたい生活がある。保つものがあるというのが東京在住の優位性だったわけだが、それを表には出さずに、心の中だけで天秤にかけて微調整を続けていた。その作業はいつ終えたというものではなく、今までずっと続けてきたのだろう。

2011年から2020年までに投稿されたコラムニスト・小田嶋隆のツイートを私が厳選し、一冊の本にまとめたのが『災間の唄』（小田嶋隆著／武田砂鉄撰）だが、災いの間、というのは、東日本大震災と新型コロナウイルス感染拡大の間、という意味。あれからずっと災いの中にいて、災いに慣れてしまっただけなのではないかと思うと、今、生活の周りで保たれているそれなりの平穏が揺さぶられるようで怖い。2012年の小田嶋のツイートにこんなものがあった。

「いたずらに不安を煽るのは良くないというのはそのとおりだが、長い間いたずらに安心感を煽るタイプのプロパガンダにさらされてきた人間が、目前の恐怖に対して情緒的な反応を示すのはそんなに不健康なことではない。」

災いの間、私たちはずっと、それは情緒的な反応にすぎない、と牽制され続けていて、そういう牽制は、権限を持つ人が権限を保持しようとする動きにも活用されていた。よくわからないんだったら黙っとけ、という空気を作る。これほど社会が具体的にぶっ壊れてしまったこともないのに、まず、個人の振る舞いが査定され、間違うと「間違えんな」と言われ、正しいとされる行為をし続けると偽善を疑われる。結局、あらかじめ持っている力が機能するだけの社会になった、ということなのか。

情緒的だと言われるのをやたらと恐れていた。一目散に避難した人のなかに有名人がいれば、その特権性を指摘しながら、批判の的になった。沖縄に行った、海外に飛んだ。瞬時の判断なのに、冷静さに欠けると言われたが、これから何が起きるかわからない状況の中で、そのような判断を下すのは冷静だったのだと思う。ただ、それをできる人は限られていた。これは別の議論なのだが、わざと一緒くたにしながら、攻撃対象を見つけていた。

「事故が起こっていない原発は安全だから動かす。動いている原発は安全だから動いてる。だから動かし続ける。事故が起こった原発は、事故以前には安全に動いていたということは安全だったはずだから事故が起こるのはおかしいのだから実質的には安全。ということは事故が起こった原発も安全。」

この小田嶋のツイートは意識的に屁理屈を撒いているのだろうが、起きてしまったことをなんとかして前向きに捉えようとする理屈よりも理に適っている。それは「災間」、そして今日まで続いている行為・光景・状態だろう。私たちが、少なくとも私が、起きてしまったことに動揺しながら、なんとか毎日をこなしている間に、真っ先に復興を口にして、「復興五輪」なんてものが立ち上がった。あるいは、絆を連呼したり、今まで通りの社会に戻そうとしたりする流れを強化していった。あのスピード感、そして、それによって置き去りにされたものを忘れないようにしたい。

決めるのは自分

「書籍の企画書を出したら、本を読まないオレにもわかるように説明してくれ、って幹部から言われた日があったんです。会議室を出て、階段をトボトボ下りている時に、ああもう、会社を辞めよう、と思ったんです」。何かのインタビューで「出版社を辞めようと思ったのはどうしてなんですか？」と聞かれた時にこのように答えたら、インタビュアーが「それ、使える！」と言わんばかりに満足そうな顔をしたので特に付け加えなかったのだが、もちろん、会社を辞めた理由を一つに絞れるわけではない。

その理由を唯一の理由としてスクスク育てていくこともできるのだが、転職サイトに載っている簡素なインタビューに感じる武勇伝のような語りへの疑念を、自分の場合なら許してしまうというのはいただけない。確かにひとつの理由ではあった。それを言っちゃおしまいでしょう、と今でも思っている。そこには、本を読まないオレを前提とした本ばかり売れるようになってしまった現状への失望や妬みも含まれている。

会社に隠れて原稿を書く仕事を続けていた。あるタイミングで「砂鉄」というペンネームをつけたのも隠すための一環だったのだが、複数の音楽雑誌を読んでいる先輩が、ある日、会社で「武田砂鉄って武田?」と話しかけてきた。「えっ、誰っすか?」と答えるも、聞いた方も聞かれた方も「ここだけの話にしておくよ/してくださいよ」というアイコンタクトを即座に済ませていた。

編集者は、誰かが書いたものを読む。物書きは、自分が書いたものを編集者に読んでもらう。それはもうまったく異なる仕事なのだが、中途半端な両立を自覚しながらも、そのうち両方とも立派にできるようになるのではないかと、いかにも甘い予測を繰り返していた。ある時、ジャーナリストが書いた原稿が送られてきて、会社の近くにある喫茶店で読み始めると、自分だったらこう書くけどな、というツッコミが止まらなくなった。編集者の仕事は、ここはこういう風にしたらいいのではないか、と提案するものであって、自分だったらこう、ではない。会社に戻り、感想を伝えようと長いメールを書き始めるも、付箋をつけた箇所に対する意見が、自分だったら、ばかりであることに「自分、超偉そうじゃん」と気づく。気づくのが遅い。

この考え方では、両立どころか、共倒れの危険性がある。「本を読まないオレにもわかるように説明してくれ」と言われたのは、確かその直後だった。ネットの記事を読んだ編集者から「本を書きませんか」と誘われたのがさらにその直後で、結局、それに鼻息を荒くして、「書きます（あと、辞めることにしました）」というのが実態なのだが、今後も、このあたりの理由を、時と場合によって使い分けていくはずである。

2014年8月に会社を辞め、15年4月に初めての本『紋切型社会』を出した。ちょうどその時期は、安全保障法制の議論が繰り広げられており、議論の詳細よりも飛び交う言説、とりわけ安倍晋三首相をはじめとした政府首脳の紋切り口調が問題視されていた。その流れの中で、「自分で選び抜いたと信じ込んでいる言葉、そのほとんどが前々から用意されていた言葉ではないか。紋切型の言葉が連呼され、物事がたちまち処理され、消費されていく。そんな言葉が溢れる背景には各々の紋切型の思考があり、その眼前には紋切型の社会がある」（はじめに）と記した拙著が注目され、政権を厳しく問う文脈で活用されていった。初めての本を届けるべく、率先してインタビュー取材などを受けていく。あらかじめ文脈が用意されていても、素直に乗っかっていく。これまで、番組キャラクターのぬいぐるみを持たされながら映画の宣伝をする俳優を鼻で笑ってきたのだが、自分の本のプロモーションも、ぬいぐるみを持つのとそう変わらなかった。

奇しくも社会が大きく変わるタイミング、それでいて、建設的な言葉で議論が尽くされたとは到底言えないタイミングで、言葉のあり方を小生意気に問う本を出した。原稿を読む仕事から原稿を読まれる仕事への変化を慎重に確認する間もなく、おまえの論こそが紋切型だよ、などと言われながら、自分なりの言葉を探すようになった。目の前に流れるニュースにある言葉を受け止め、反応しようとするようになった。それを原稿にする。「自分だったらこう書くけどな」なんて軽々しく思っていた自分を早速呪うのだった。結果、安全保障法制は強行採決され、間も無く、戦後70年を迎えた。

戦後70年を迎えるにあたって、2015年8月14日に発表された、いわゆる「安倍談話」には、「日本では、戦後生まれの世代が、今や、人口の八割を超えています。あの戦争には何ら関わりのない、私たちの子や孫、そしてその先の世代の子どもたちに、謝罪を続ける宿命を背負わせてはなりません」という文言があった。まさに「戦後生まれの世代」の子にあたる自分は、その宿命を背負うかどうか、どうして勝手に決めてくるのだろうと疑問に思ったのだが、この文言にどのように続けたかといえば、「しかし、それでもなお、私たち日本人は、世代を超えて、過去の歴史に真正面から向き合わなければなりません。謙虚な気持ちで、過去を受け継ぎ、未来へと引き渡す責任があります」だった。

一体どういうことなのだろう。「しかし」という接続詞は、前に述べたことと反対の考えを述べたり、話題を転じたりするために使われる。謝罪を続ける宿命を背負わせたくないが、しかし、謙虚な気持ちで受け継いでいきたい、と彼は言った。謙虚な気持ちで過去を受け継ぐ行為の反対は、どんな過去も受け継がないってことになるが、彼は、過去は受け継がせたいが、謝罪を続けさせたくはないと絞り込んだ。なぜ、「しかし」なのだろう。もう謝りたくないけど、過去は受け継いでいきたい、という意向なのか。このように続く。

「私たちの親、そのまた親の世代が、戦後の焼け野原、貧しさのどん底の中で、命をつなぐことができた。そして、現在の私たちの世代、さらに次の世代へと、未来をつないでいくことができる。それは、先人たちのたゆまぬ努力と共に、敵として熾烈に戦った、米国、豪州、欧州諸国をはじめ、本当にたくさんの国々から、恩讐を越えて、善意と支援の手が差しのべられたおかげであります」

「そのことを、私たちは、未来へと語り継いでいかなければならない」

外の国に対して、これからは謝罪したくないけど、あの時こっちは大変だったたってことは、以降の世代に語り継いでいきたいと聞こえる。伝える歴史を身勝手に整理している。一応、その後で、「私たちは、自らの行き詰まりを力によって打開しようとした過去を、この胸に刻み続けます」「二十世紀において、戦時下、多くの女性たちの尊厳や名誉が深く傷つけられた過去を、この胸に刻み続けます。だからこそ、我が国は、そうした女性たちの心に、常に寄り添う国でありたい。二十一世紀こそ、女性の人権が傷つけられることのない世紀とするため、世界をリードしてまいります」とも述べているのだが、こういった負の歴史については、受け継がずに、胸に刻むにとどめるのである。私のような「戦後生まれの世代」は、彼らの世代から、彼らが「胸に刻んだ」歴史以外の部分だけを受け継げばいいのだろうか。何を受け継ぐのかを判断するのは、その都度、「その先の世代の子どもたち」がすべきではないのか。「何ら関わりのない」はずがない。「関わり」を決めるのは私自身だ。それぞれが問わなければいけない物事を「落ち着きませんか」で強引に薄める動きがある。やっぱり考え続けたいのだ。どうすればいいのだろうか。

1967年からTBSラジオで番組を持ち、2016年6月までパーソナリティを務めてきた永六輔は、番組内で自分の戦争体験を繰り返し語ってきた。東日本大震災の翌年、2012年3月10日の放送でも、涙ながらに自身の戦争体験を語っている。多くの知人が東京大空襲で亡くなってしまったが、自分は今も生きている、あの頃は「日本は神の国だから絶対に勝つ」などと言われていたが、考えてみれば、原発事故を起こした東京電力と当時の大本営発表は言っていることが同じではないか、情報をどのように受け止めるべきかを考えなければいけないとして、このように続けた。

「でも、ぼくがいい例で、忘れてるんですよ、大事なこと。燃えている、大空襲の中に帰っていった、あの、ぼくらの世代だったらわかってもらえる、忘れてるのが悔しい。あー、つ

らい」「三月一〇日は、東京大空襲の日なんです」（『ユリイカ　特集・永六輔――上を向いて歩こう』２０１６年10月号参照）

病と闘いながら、あまり十分ではない言葉選びと滑舌でこう述べた永六輔は、自分が、先の戦争を忘れかけていることへの懺悔を繰り返した。近しい人が大空襲でたくさん亡くなったのに、そのことを忘れてしまっているんだ、と。２０２１年、私が責任編集を担当した『開局70周年記念　ＴＢＳラジオ公式読本』が刊行されたが、その中で、長年、永六輔の番組でアシスタントを務めてきた長峰由紀アナウンサーと外山惠理アナウンサーに話を聞いた。私が、「永さんと野坂（昭如）さんが話していたのが、自分たちの放送を聴いている人の多くは戦争を体験していないだろう、でも、体験した人の話を聞いて、それをまた伝えてくれればいいんだ、と。そういう伝達、循環を信じていらしたのだなと思います」と言うと、長峰アナウンサーが目に力を込めながら、「だって、それしかないじゃないですか。それ以外にないじゃないですか。語り継いでいくしかないんです。難しくなっていくのかもしれません。体験してない人間が言うのはおこがましいというような言い方もありますが、そんなこと言ってる場合ではないと私は思います。語っていいんだと思います。だって、私、永さんから聞きましたから」「今、ラジオから笑い声が聞こえてくるのは、戦争が起きていないからなんです」と返してきた。体験していない人間が言うのは、なんらおこがましくはないのだ。

一人の人間が実際に体験できることは限られている。だからこそ私たちは、本を読んだり映画を見たりしながら、他人の経験を知る。あるいは架空の物語に身を委ねる。情報量が一気に膨れ上がり、取捨選択しながら生き続けるしかない私たちは、極めて意識的でない限り、「世代が入れ替われば姿勢が変わる」という企みに屈してしまう。

「体験してない人間が言うのはおこがましいというような言い方もありますが、そんなこと言ってる場合ではない」という言葉を思い出す。この態度がなければ、歴史は後世に伝わらない。後世に伝えないためには、どうするか。次の世代を前にして、「謝罪を続ける宿命を背負わせてはなりません」と述べるのが手っ取り早い。経験していない出来事を引き受ける、そして受け継ぐ・語り継ぐのって簡単ではない。風化を待つ、知っている人がいなくなるのを待つ、それらの取り組みに対して、逆流するように入り込んでいけば、ただただ、いなくなるのを待っているだけの人が焦り始める。そうやって意識的に焦らせることの大切さを、最近よく考える。私たちは、その「焦らせ」に弱いが、これらに付き合うことなく、自分で考えればいい。自分が初めての本を出した時からずっとそう思い続けている。

人権を消そうとする

考えようとするのを停止させる言葉がある。自分が言われたわけではないのに繰り返し思い出す言葉が、作家・中村文則が大学時代、友人から言われたという「お前は人権の臭いがする」との一言だ。エッセイ集『自由思考』に「不惑を前に僕たちは」と題して、その時のエピソードが書かれている。第二次世界大戦の日本を美化するような発言をした友人に対して、軍と財閥の癒着についてなどを語りながら中村が反論すると、先の一言を返されたという。その友人は「俺は国がやることに反対したりしない。だから国が俺を守るのはわかるけど、国がやることに反対している奴らの人権をなぜ国が守らなければならない？」とも続けた。この感じ、日本でずっとすくすく育ち続けているやつだ。

人権とは、人間が人間らしく生きられる権利のこと。「基本的人権の尊重」との文言の通り、人権はいつだって基本的に備わっているもの。それを「臭い」で判別するというのは、人権には濃い・薄いがあり、身の丈にあった濃度があるという意味なのだろうか。あまりにも差別的な見識だが、やたらと反対している人たちには私たちと同じ権利を与えるべきではないなどと相手の権利を削り取ろうとする姿勢は、残念ながら珍しいものではなくなった。

「人権という美名の下に犯罪が横行している」と述べた政治家がいた。自民党の山東昭子議員である。２０１６年7月26日、神奈川県相模原市にある障害者施設「津久井やまゆり園」で、施設入所者19名が殺害され、27名が負傷するという陰惨な事件が起きた。犯人の植松聖は2月に衆議院議長公邸を訪れ、議長に宛てて手紙を渡しており、そこには「私は障害者総勢４７０名を抹殺することができます」「障害者は不幸を作ることしかできません」などと書き残していた。事件が発生してわずか2日後に、山東議員が先の発言をした。「私どもも法律をきちんと作って、犯罪をほのめかした、主張した人物については、ＧＰＳを埋め込むようなこと。何がいいのかもちろん、これから議論すべきだと思いますけれども」とも発言している。

人権という美名の下、とは一体なんだろう。そもそも、人権とは美名なのだろうか。美名にはいくつかの意味があって、「美しい名前」や「良い評判」を指すが、山東議員の用い方としては、もう一つの意味、「世間に聞こえのよい名目」としての使い方なのだろう。いずれにせよ、彼女は、人権を誰にでもあらかじめ確保されているものとは捉えていない。むしろ、その名の下に犯罪が横行しているとし、もっと厳しく取り締まりたい、具体的には、犯罪をほのめかしたり主張したりした時点で監視するべきだと言い出した。これほどの事件が起きてしまった時に、なぜ真っ先に個々の人権の制限に取り組むのか。あらかじめ備わっているものを取り外し、それを有する権利があるかどうかを問えば、私たちの手によって善悪が仕分けできるのではないかという興味や希望なのか。

この事件から数ヵ月後、元フジテレビアナウンサーで、その後に日本維新の会公認で衆議院議員選挙に臨むも落選した長谷川豊によるブログが炎上した。そのタイトルは「自業自得の人工透析患者なんて、全員実費負担にさせよ！ 無理だと泣くならそのまま殺せ！ 今のシステムは日本を亡ぼすだけだ!!」というもの。目も当てられない差別扇動だが、このブログが批判されると、彼は「私は『現実的な』観点から『切るべきは切らないと、守るべき人を守れない』という考え方ですが、『誰であっても救いたい』というあなた方のような思いの人たちも絶対にいるべきだとは思う。私は今の時代にもうあっていないと思うが」などと改めてブログに書いた。「あなた方」というのは、抗議文を送った「全国腎臓病協議会」だが、この時に使われていた「現実的な」という定義も、これまで問題視してきたのと似た使われ方をしている。常識、普通、現実、この辺りを身勝手に決めてしまう。決めてしまえる自分を、存在の強さとして活用する。

相模原の事件で、犯人は、命の価値に格差を設けて殺害の理由にした。自分で定めた基準で「不幸を作ることしかできません」と正当化しようとした。こうして顔を出した憎悪が別の場所で広まらないよう抑え込まなければならないのに、この事件を取り急ぎ「人権という美名の下に犯罪が横行している」とまとめた政治家が出てきた。多様な考え方を認め過ぎているから、こんな出来事が起きてしまう、と言わんばかり。もちろん、話はまったく逆である。自分とは異なる存在を認めなかったからこそ、こういう結果が生まれた。

不寛容な時代と言われるし、言いたいことが言えない世の中になってきたという主張や分析は流行る。正直、ずっとそれを聞いている。その上で、その分析を壊すように、誰になんと言われようが言い切ってしまう存在が重宝される。あたかも閉塞的な社会と戦っているかのような振る舞いを見せる。人権とは何か、なぜ守られなければならないのか、こんな命題が立ち上がってしまうこと自体が異様なのに、前提がいつの間にか虫食い状態になり、脆弱になっていく。

さらにもっともっと剝ぎ取ろうとする人たちがいる。その人たちは大抵、圧倒的な影響力を持っている。基本的な話、いつもの話、常識的な話よりも、例外的な話、斬新なトピックスに惹かれてしまう。このところ、この傾向が顕著だ。大胆なことを言えば言うほど、そして、その話者が影響力の大きい人であればあるほど、提言の大胆さが、ある一定数に響いてしまう社会になってしまった。ただただ自分の人権を守っているだけでも、それを疑われたり、剝がそうとしたりする人たちがどこからともなく現れるのだ。無臭で誰にでも備わっている人権を、不快な臭いとして意図的に嗅ぎ取ろうとしてくる。おかしいのはこちらではなく、あちら側の嗅覚である。決してここを譲ってはいけない。「体験してない人間が言うのはおこがましいというような言い方もありますが、そんなこと言ってる場合ではない」、この言葉を頭の中で繰り返す。

悪口禁止

丸谷才一の『思考のレッスン』を読んでいたら、こんなことが書いてあった。

「文筆業者は、まず第一に、新しいことを言う責任がある。さらに言えば、正しくて、おもしろくて、そして新しいことを、上手に言う、それが文筆家の務めではないか。もっとも、『正しくて、おもしろくて、新しいことを、上手に』と、四拍子全部そろうことはなかなかむずかしい。それならせめて、新味のあることを言うのを心がけるべきではないか」

本当にそうなのだろうか。かつて自分が新米編集者として文芸誌の雑務をあれこれやっていたころに当時の編集長から言われたのは、「多くの人が、それがあると知っていて、でも、それに明確な言葉が与えられているわけではなかったものが、実際に言葉になるのを初めて体感できた作品」というもので、ただし、それは、新人賞に応募されてきた小説に対する見方だったから、とても限定的な評価軸だったのだろうし、新米のこちらが真意を理解できていたとは思えない。評価軸がちっとも定まらないままその職から離れてしまったが、文芸誌に掲載される新人賞の受賞作を読む度に、あの時、編集長が言っていた通りだなと思いつつ、その潮流をさほど知りもしない自分が易々と理由付けを済ますために、かつての発言を引っ張り出しただけではないかとの疑いが濃厚である。

2022年にサイトが閉鎖してしまったが、コンテンツ配信サイト「cakes」で2014年から閉鎖するまでの8年ほど長期間連載をしていた。雑誌の休刊・廃刊が相次ぐなか、連載媒体の受け皿としても機能し、このサイトの連載から数々のベストセラーも生まれたが、後半の数年間は、『cakesクリエイターコンテスト2020』優秀賞を受賞した、ホームレスの人たちに対する興味本位の取材記事や、ある写真家の人生相談連載における、DV被害についての相談を「細かいことはわからないけど、でもあなたが大袈裟に言ってることだけははっきりわかるの」と矮小化するような回答などが、繰り返し問題視されていた。こちらは淡々と連載を続けていた。横に並んでいる記事による地盤沈下の影響を受けないようにしようとは思っていたが、そのための具体策があるわけでもなく、結局、サイトは閉鎖されてしまった。どんな媒体も始まれば終わるのだから、一喜一憂していてはこの職業は務まらないが、長年居座っていた身からすると、横に並んでいる文章やイラストエッセイや漫画の多くは、「新味のあることを言う」にとらわれているように思えた。

あえて、こんなところに行ってみた。あえて、厳しいことを言ってみた。その手の「あえて」は新味を作り出すには安直な手法。雑誌文化が強い時代には各種記事が雑誌の一部に混じり合っていたものの、ネット媒体では特定の記事だけが抽出されるので、新味とされるものに、過度な熱狂と強い批判が向かうようになる。となると、これまで以上に批判に耐えうる言葉が求められるのだが、そうはならない。自分や媒体のSNSを駆使して熱狂だけをすくい上げれば、方々から肯定されているという景色を作り上げることができるので、批判に対する耐性は弱いままでいられる。

2010年代の後半、つまり、平成の後期、ネットでモノを書く「バズるライター」という存在が生まれた。企業が売り出したい商品を、面白おかしいアプローチやエモーショナルな展開でPRする記事が増殖し、文章そのものではなく、驚く表情や大仰なキャプションなどで引きつける記事が並んだ。その手の書き手が早速語り始める「ライター論」を懐疑的に読んでいたが、そこで述べられていたのは、「クライアントさんに言われたままに商品の魅力を伝えるだけではなく、独自の目線を盛り込むことによって、オリジナリティの高い記事をユーザーに届けられる」といった能書きであった。そういった書き手が集まる会合に顔を出したことが一度だけあるのだが、「この前のバズってたよね！」が褒め言葉の最高峰に存在しており、「多くの人に読まれる」というゴールばかりが意識されていたのですぐに帰った。

cakesの諸問題が浮上したあと、運営会社の代表取締役CEOが「cakes一連の件についてのお詫び」との文章を投稿サイト「note」にアップした。連載を続けていた自分は、そこに書かれている文章を読んで仰天した。実は、ずっと仰天したままで、今も時折考える。

「cakes編集部の最初の数年は、私が編集長でした。メディアの創刊時の考え方としては異例なのですが、私は扱うべきテーマを『決めない』ことにしました」

「ただし、やってはいけないことを、ひとつだけ決めました。それは『悪口禁止』です。前向きでおもしろいものだけを載せよう、と決めたのです」

「インターネットは、仕組み上、悪口があふれがちです。悪口というのは、かんたんに言えて、(残念なことですが)おもしろくて、結果、ページビューも増えるので、ネットのエンジンでもある広告と、非常に相性がいいのです」

その前後にお詫びの文面が連なっているのだが、これは、「悪口」とされる文章に対するとんでもない悪口だった。そのcakesで芸能人やテレビについて考察する連載をしていた自分は、たとえばEXILEについて、「年末年始くらいかなぁ、テレビで音楽番組をダラダラ見るのなんて、という人は、急性エグザイル中毒を起こしやすい。慣れない体に一定期間に集中してあの光景を与えると、耐性がない体の血中エグザイル濃度が突如上がり、判断機能が麻痺してしまう」（『芸能人寛容論』所収）などと書いている。これは悪口である。その時々に流行っているエンタメについて、ちょっとした辛辣なレトリックをまぶしていくのは、新しいやり方ではない。よく言えば伝統芸、悪く言えば真似事。明らかに「前向きでおもしろいもの」ではないので、ならば、自分の連載を早々に中止させるべきだったと思うのだが、そうはならなかった。アクセス数が好調だったからだろうか。奇しくも前書の推薦文にイラストレーターの中村佑介が「評論に見せかけた悪口。悪口に見せかけた愛。」と書いてくれているが、愛に到達できていたかはさておき、思考の途中で悪口に立ち寄るのを法度にされては、文章表現は大幅に制限されてしまう。

新しいもの、そして、前向きで新しいものを作るのは難しく、その一方で、悪口は簡単であるとするのは、文章そのものを軽視している。しかし、ここ最近の風土というのは、批判・批評・悪口・文句をすべて同じ箱に入れて、ああいうのよくないよねと言いながら肩を組む姿勢が目立つ。それがどうして前向きなのだろう。周囲と議論せずにとにかく言い切ってしまう、論破を売りにする面々が出てきたのは、その反動としての受け皿だったのだろうか。これは前向きでおもしろい（あるいは、これはそうではない）と決めてしまえる体制に、おもしろくなさはないか。

2017年10月の「ニューヨーク・タイムズ」での告発を皮切りに、映画プロデューサーのハーヴェイ・ワインスタインによる性暴力が明らかとなり、「#MeToo」運動が広がった。日本でも、元TBS記者・山口敬之によるジャーナリスト・伊藤詩織への性暴力や、財務省の福田淳一事務次官によるテレビ局の女性記者へのセクハラが明らかとなった。東京医科大では、入学試験を受けた女性の受験者の得点を一律に減点し、合格者数を減らしていたことも発覚した。告発をする、不正を追及する、あるいは性的少数者の当事者として声をあげる、この切実な行動を「ムーブメント」として活性化させるのではなく、先の例と同様に「同じ箱に入れる」という作業を勝手に執り行う人たちがいた。

結果的に休刊となった「新潮45」2018年8月号で「『LGBT』支援の度が過ぎる」という原稿を書いたのが杉田水脈衆議院議員。LGBTのカップルは生産性がない、とした発言ばかりが記憶されているが、この原稿がどう閉じられているかと言えば、「『常識』や『普通であること』を見失っていく社会は『秩序』がなくなり、いずれ崩壊していくことにもなりかねません。私は日本をそうした社会にしたくありません」である。「どんどん例外を認めてあげようとなると、歯止めが利かなくなります」ともあるから、「普通」と「例外」を対比して、「普通」を保とうとしているとわかる。それは政治家として最もあってはならない態度だが、普通を壊そうとする流れに立ち向かおうとする様子を伝えて、相応の声援を集めようとする仕草はこの後も続いている。

この原稿を議論するというか、駄目押しとなる特集が翌々月の同誌10月号に組まれたが、杉田と『民主主義の敵』と題した共著を持つ文藝評論家の小川榮太郎が「政治は『生きづらさ』という主観を救えない」との文章を書いている。「ＬＧＢＴという概念について私は詳細を知らないし、馬鹿らしくて詳細など知るつもりもないが、性の平等化を盾にとったポストマルクス主義の変種に違いあるまい」とある。よく知らないし、調べるつもりもないが、どうせこういうことなんだろう、と書く。もう、超テキトーだ。彼はこうも書いている。『弱者』を盾にして人を黙らせるという風潮に対して、政治家も言論人も、皆非常に臆病になっている」。超乱暴だ。超テキトーで、超乱暴な言説が、こうして歴史ある雑誌に掲載され、結果、雑誌は潰れてしまったのである。

悪く言う、悪く書く、というのは、もっと慎重に繰り返されてきた技法である。詰将棋のように相手に迫っていくもの。しかし、いつのまにか「馬鹿らしくて詳細など知るつもりもない」人がハンマーをふりかざすための燃料になってしまったのか。この流れと、「前向きでおもしろいものだけ」を載せるために「悪口禁止」を前提にする宣言は、リンクしてしまうのだろうか。ある対象を考察する時には、そこにあらかじめ対象があるのだから、どうしたって、新味なものになりにくい。ましてや批判的に考察するためには、その対象の実体・輪郭・動作を見定める必要があるので、「おもしろくて、新しいことを」にはなりにくい。

もちろん、入り口こそ新しくなくても、たどり着いた先で新たな見解を味わうのが優れた考察の醍醐味であるのだが、悪口はやめようという宣言と、ただただ乱暴な悪口がぶつかり合い、溶け合い、ガサツな固形物が肥大化している感覚を持つ。その固形物が鎮座している場所というのは、これまで自由闊達な議論が飛び交っていた場所なので、いい加減退いてもらいたいのだが、そんな申し立てても、悪口に変換されてしまうのかもしれない。この空気感と、日本社会で「告発」が煙たがられがちなのは無関係ではないと思っている。

いやな感じ

本書を書き進めながら、編集者との打ち合わせの中で出てきたのが「いやな感じ」という言葉だった。

1963年に単行本が刊行された高見順『いやな感じ』は、今から100年前の関東大震災の直後に起きた大杉栄虐殺事件、その報復を企てた加柴四郎を主人公とした物語だが、長大な小説は「(いやな感じ！)」と、心の内で叫びながら終わっていく。高見は「昭和文学は、その誕生以来『不断の歯痛』につきまとわれている」と述べていたそうで、「何もかもいやだ、世の中も、そのような世の中に生きている自分もいやだという一種の自己嫌悪、自分と周囲の世界のあらゆるものを汚れた、醜悪な存在とみなして吐き気を催すこと、それがほかならぬ高見氏の文学の基本のモチーフ」(佐々木基一『いやな感じ』文春文庫解説)だとある。

いやな感じ、というのは、あまりにも抽象的な「感じ」ではあるのだが、他者からは管理できない「感じ」だからこそ、内心で自由に膨らませることができるものでもある。高見は自伝的小説『わが胸の底のここには』で、幼少期に理髪店で起きた出来事を、長らく根に持っており、「不当に嘲笑された、そんないやな想いが澱のごとくに残った」と語っている。理髪店で「坊ちゃん、ちょっと立って下さい」と言われたので、その通りに理髪台の上に立った。すると、理髪店の主人は「おッと、あぶない」と言いながら、寝ぼけていると言って大笑いをした。ただそれだけのことだ。でも、高見にとっては「つまらないことのようだが、永くこのことは私の心に残った」そうで、「私が怒った、怒り得た恐らく最初の場合」として記憶されているという。それを読み、ひとまずつまらないことだな、と感じる。でも、どんな人であっても、「最初の場合」を持っており、それは怒りの感情だけではなく、あらゆる感情の揺れ動きについて最初の経験がある。それをいつまでも蓄えている人間ではありたい。つまる、つまらないではない。

小学5年生の頃だったか、自分のことを気にくわないと感じているらしい勢力がおり、誰かの兄が中学生だったからか、中学校で悪さをしている連中とも繋がりがあり、今、オマエのことをボコボコにしてほしいと頼んでいる、と言ってきた。図工室でクラスの皆が教室に戻ったタイミングで言われたからには信ぴょう性も高い。図工室の窓からは体育館が見え、「あの裏で来週ボコボコにされるから」と言った。指定された日がやって来るまでの数日間は気が重く、親に心配をかけてはならぬと意識的に明るく過ごすなどしていた。その日がやってきた。行きたくないという思いが具体的に体の変調を生み、学校を休むことになった。とはいえ、ボコボコは順延されただけだろうし、ビビって来なかったことでの怒りは増幅しているに違いない。あまりの恐怖だった。

翌日、恐る恐る学校へ行くと、特段の動きはなく、そうこうしているうちに、気に食わないと感じていた勢力もバラバラになってしまい、その何人かは平気で話しかけてくるようにさえなった。結果的に、ボコボコにはならなかったのだ。今思えば、軽い気持ちで言ってみただけだったのかもしれないが、あれくらい心の中が乱れたことはなかったし、想像される未来、殴られ蹴られ、そこらへんに捨てられるイメージを鍛えてしまった数日間をいまだに思い出せる。あちらはもう覚えていないだろうが、体育館裏の冷気や暗さを、想像しただけなのに、まだ体が覚えている。経験してもいないのに覚えている。感情の原点にあるいくつかの物事のうちのひとつだ。

昭和の末期に生まれ、平成を生き、令和で何年か過ごした自分は、社会という枠組みを希望的に見つめた経験に乏しい。かといって、悲観しきっているわけでもない。でも、なんか、ずっと、いやな感じがある。そこらへんに転がっている笑顔にも怒りにもオブラートがあるのではないかと疑ってしまう。「令和」を掲げた官房長官はやがて総理大臣になり、新型コロナウイルスの感染拡大にたじろぐ私たちに向けて、「私が目指す社会像、それは、自助・共助・公助、そして絆であります。まずは自分でやってみる」と述べた。社会と個人の関係は常に変動しているものだが、あとはよろしく頼んだぞと個人に押し付けられる機会があまりにも多い。人生再設計第一世代と呼ばれたこともある。社会が変動するなかで、実はもろもろピンチなのだけれど、ピンチって顔をすると責任を負わなければならなくなるので、澄ました顔で「よろしくね」って手渡せば、もしこれより悪くなった時に、自分たちのせいだと恨まれずに済むのではないかという画策が見える。

正直、私たちが暮らしているこの国は、あんまりうまくいっていない。かつてのような成長が見込めないし、これまでのやり方を強引に進めようとして早速つまずいている。だから、「せい」を探す。おまえのせいだと押し付けたがる。それをずっと浴びてきたのかもしれない。だから、ずっといやな感じがしているのだろうか。

「なんかいやな感じ」が薄い膜のように存在している。日々、それを直視しているわけではない。ただ、ずっとあるな、という感覚があった。この、あまりにも漠然とした感覚を直視してみようと思った。親から「子どもだけで新青梅街道を渡ってはいけない」と通達されて、その約束を破った時の感覚。こうして歳を重ねてきて、目の前で起きている出来事への違和感を覚えた時の感覚。たとえば、このふたつは、成り立ちがまったく異なるのだけれど、同じ自分の頭の中に存在しているものなので、すれ違ったり交わったりする。遠い記憶や感触は、わかりやすくどこかに収納されているわけではなく、頭の中を自由に泳ぎまわっている。それらを同じテーブルにガラガラと出してみて、できる限り並び替えて、で、どうしてこういう感じなんだっけと考えてみた。

自分史でもないし、昭和史・平成史でもない。それが巧妙に混ざっているわけでもない。では、なんなのか。あくまでも「感じ」を追いかけてみた。自分が抱えている「感じ」は、これを読んでくれたあなたの「感じ」とはズレているはずだが、これもまたどこかですれ違ったり交わったりできるのではないかと思う。そことあそこがつながるのは自分だけかもしれないが、あなたはあなたで、あれとこれがつながっているはずで、そんなあなたと自分がどこかでつながるかもしれない。

あらかじめ熱狂が想定されているところで素直に熱狂するような人間にはなりたくない。乗せられそうになっても、いや、これは乗ってはダメだとする感覚が強化され続けている。昭和がなんとかなる時代でも、自分が大半を過ごした平成はそうではなかったし、令和に入ると、そうではないのが当然という前提から物事が進み出すようになった。

自分と社会を結ぶ太い線や細い線を振り返ってきたが、大きなものが見えた、新たに立ち上がったというわけでもない。この「感じ」はいつまで続くのだろう。せめて、続き方を見定めて、感情を管理されないようでありたい。視界はぼやけているけれど、それを見ようとする眼力をなんとかして保ちたい。

あとがき

この本のもととなる連載を文芸誌「群像」で始めるにあたり、講談社に打ち合わせに出向くと、大きな会議室に通された。長テーブルが「口」みたいな形で組まれている。どこに座るのか迷う。広いのにやたらと相手と近い位置に座れば近さが際立つし、かといって、向かい合うなどして遠い位置に座ると、話がまとまらない国際会議みたいなポジションになる。こういう時は向き合うのではなく、隣り合うのでもなく、四隅を活かすように、90度の位置に座るのがいい。アルファベットの「L」のような感じ。これならば、近からず遠からずでちょうどいい。この距離で打ち合わせを始める。間も無く、編集長が「どうもどうも!」とやってきて、自分からもっとも遠い位置に座る。いわゆる、話がまとまらない国際会議のポジションである。

自分もかつて編集者をしていたので、「この会議で方針が決まるかどうか」というのは、その場の空気でなんとなくわかると知っている。この日、編集長が国際会議のポジションに座った時点で、今日は無理そうだなと思っていた。ひとまず、業界の噂話に花を咲かせる。突然、顔が引き締まり、「で、どうでしたか、あちらの原稿は」と言われる。こちらはまだ、あの人がA社からB社に転職した顛末を聞きたかったのだが、そう、あらかじめ渡されていた原稿があったのだ。

それが、「群像」2019年4月号に掲載された、橋本治さんの絶筆「「近未来」としての平成」。400字詰で200枚の構想の、前篇100枚である。後篇100枚を書き上げることはかなわず、残念ながら、橋本さんは19年1月に亡くなられてしまった。向かいに座っている編集長が「彼が原稿をとったんですが……」と、自分の近くにいる編集者に目線を向けて、この作品が完結しなかったのが実に惜しいんですよね、と言ってきた。

原稿をとる、って面白い表現である。編集者は書き手に対して、「ステキな原稿をいただきました」などとメールしたり電話したり手紙を書いたりするのだが、編集者同士となれば「とる」「とれない」「マジでずっととれねぇ」「いい加減とれよ」「よくとれたな」「とれたのはいいけど何だよコレ」といった言葉を使う。この場合の「とる」って、漢字だと「取る?」「獲る?」まさか「盗る?」なんて考えていると、「で、砂鉄さん、どうでしたか」と再び聞いてきた。

どうやら、この続きとなるような原稿を、と考えているらしい。これはなかなか危うい申し出である。橋本さんが亡くなり、平成が終わった。「「近未来」としての平成」に対して、「「近過去」としての平成」とのタイトルが提示される。腕を組みながら視線を逸らしていると、自分を除く会議室全体が「いい！」というテンションに包まれていく。そうか、これは対等な国際会議ではなかったのだ。焦りながら口を開く。「いや、続き、というのではなく、あくまでも、この原稿を頭に置きながら、平成とはなんだったのか、その時代を丸ごと生きてきた自分は何を考えてきたのか、それをじっくりと振り返っていくような連載にしたいと思います」と返しておく。若干、会議室のテンションが低くなった気がしたのだが、「続き」ではなく、「頭に置いておく」という曖昧なスタート地点だけが用意され、連載が始まった。

橋本治さんにはたった一度だけ会ったことがある。2015年に東京都江戸東京博物館がリニューアルするにあたり、展示を見ながらゲストに感想を話してもらう企画があり、自分が取材・構成を担当したのだった。1964年に行われた東京五輪についての展示を前に、橋本さんが色々と思い出を語ってくれた。

語るのは輝かしい歴史だけではない。実は当時の東京ってこうだったんですよと、高度経済成長期の負の側面について話が流れていくと、満面の笑みで、「嘘みたいな話ですが、隅田川で写真が現像できたという話もありますからね。川に金属化合物がそのまま流れ込んでいましたから、試しに写真版を流し込んだら現像できた、と。当時はそこまで気にしてはいませんでしたが、東京オリンピックの頃は、やたらと空気がいがらっぽかった記憶もあります」と、複製された真っ白い表彰台の前で語ってくれた。同行していた学芸員は苦笑していたが、橋本さんは気持ちよく笑っていた。自分は心の中で、これぞ橋本治だよな、と思っていた。そして、「猛スピードで進むがゆえ手が回らずに、いくつもの失敗や過ちが生まれていたにも関わらず、その事実を消しゴムで消すかのように、まるでなかったことにして前進し続けたのが昭和という時代」とまとめてくれたのだった。

消しゴムで消す。漂白した状態で歴史を伝える。そうじゃないでしょうという思いがあったはず。橋本さんには、消しゴムで消してなかったことにしたいものを、消した跡をなぞるように蘇らせた作品がいくつもある。なかったことにしないで、考えてみましょうよという態度がずっとあった。

自分の連載が終わると、これは「「近過去」としての平成」ってタイトルが似合う本ではないだろうという話になり、本編で書いてきた通り、「なんかいやな感じ」を主題とした。手渡された「「近未来」としての平成」の原稿は、一度読んだっきり、読まないようにしていた。引っ張られるに決まっているから。今、この「あとがき」を書くまでそうしてきた。本と書類が入り混じっている汚い部屋で仕事をしているが、「「近未来」としての平成」のコピーについては、「あそこにある（でも読まない）」とわかる位置に置いてきた。目には入るけど決して読みはしない。で、今、久しぶりに読んでみたら、前篇で終わってしまった絶筆に、今、この社会について、このように書かれていた。

「人は社会の中に生きていて、生きていると思っていて、しかしその社会は「時代」というレールをなくして、もう前には進まない。同じところをグルグル回っていて、そのことで「先へ進んでいる」という錯覚が生まれているだけなのかもしれない」

後篇でどのようなことを書こうと思っていたのかは知らないが、少なくとも、自分が取材した時には、昭和について、失敗や過ちを「まるでなかったことにして前進し続けた」時代と位置付けていたのに対し、平成、あるいは現代について、もう前には進まないのに、「「先へ進んでいる」という錯覚が生まれている」時代だったとしている。ようやく読み直して、自分が行き着いた「なんかいやな感じ」というテーマは悪くなかったなとちょっとだけニンマリする。

橋本さんの原稿に続くように書いたわけではないが、少なくともあの大きな会議室では、その名前がしきりに出ていたから、「「先へ進んでいる」という錯覚が生まれているだけなのかも」という表現は、この本を通じて書いてきた違和感とも言ってしまえる。

連載が終わり、単行本化に向けての打ち合わせのために再び講談社に行くと、最初の打ち合わせと同じ、大きな会議室に通された。でも、もう安心。単行本化に向けた打ち合わせは書籍担当の編集者とメールで繰り返してきたから、念のための確認程度だ。難なく「L」の位置に座る。打ち合わせを進めていると、「どうもどうも!」と「群像」編集部の面々が入ってきた。連載時の担当編集2人と編集長だ。なにやらかしこまった格好をしている。「どうしたんですか?」と聞くと、直前まで新人賞の選考会があったという。「いや、なんとかまとまりまして」と嬉しそうだ。気づけば、担当編集の2人は書籍担当の編集者の隣に座り、編集長はやっぱり一番遠い位置、話がまとまらない国際会議のポジションに座った。編集長はいつもこの位置に座るのだろうか。連載を始める時にもここに座っていたなと思い出す。4人が「これまでにはなかった本になりそうですね」と言い合っている。みんなの口からはもう橋本治さんの名前は出なくなっていたから、当初の予定をうまいこと抜け出せたのか、名前を出すほどのものではなくなったのか、いずれにせよ、これはこれで独立したものってことでいいのだろう。

ずっとこういうことばかり考えている。つまり、本筋からずれたことを考えるのが好きだ。原稿の方向性よりも、なんで編集長はいつも遠い位置に座るのだろうかと考えるほうが楽しい。多かれ少なかれ、みんなそんなもんだと思う。一堂に会しても、そこで皆が同じ方向で考えるなんてありえない。ズレるし、ズレたままになる。どんな人も、その人が考えてきたことの集積が自分にとっての「社会」になるので、「今の社会って……」と切り出しても、簡単には共有できない。ところが、かしこまった世界では、まるでひとつの「社会」があるかのように語られる。そうではなく、「社会」を語るより「感じ」を語ってみようと目論んでみた。

雑誌で掲載された原稿を大幅に手直ししたものを送ると、編集者から「拝読して、自分を通さないと『社会』は本当には感じられない、ということを、改めて思いました。武田さんの原風景なのに、自分の原風景ともつながっていくような不思議な感覚と、ずっしりした読み応えが残ります」と感想がやってきた。そうか、今回、自分が書いたのは、そういうものだったのか。書き終えて、ようやく輪郭を摑む。当初の予定から道を外しながら、こういう本になった。この「感じ」が届けばいいなと思う。

というわけで、会議室で一番遠い位置に座る「群像」編集長・戸井武史さん、より近い位置で寄り添ってくれた「群像」編集部の森川晃輔さんと大西咲希さん、連載時から毎回丁寧な感想を下さり、揃った原稿の荒療治を細かく提案してくださった単行本編集担当の堀沢加奈さんに感謝します。巧妙なバトンタッチによって、こんな本になりました。ありがとうございました。

2023年8月　武田砂鉄

初出
「群像」連載「「近過去」としての平成」
2020年4月号～2023年4月号
書籍化にあたり改題、加筆修正しました。

武田砂鉄（たけだ・さてつ）
１９８２年生まれ。出版社勤務を経て、２０１４年よりライターに。２０１５年、『紋切型社会』で第25回Bunkamuraドゥマゴ文学賞受賞。他の著書に『コンプレックス文化論』『日本の気配』『わかりやすさの罪』『偉い人ほどすぐ逃げる』『マチズモを削り取れ』『べつに怒ってない』『今日拾った言葉たち』『父ではありませんが』などがある。週刊誌、ファッション誌、ウェブメディアなどさまざまな媒体で執筆するほか、ラジオ番組のパーソナリティとしても活躍している。

ブックデザイン　鈴木成一デザイン室

なんかいやな感(かん)じ

二〇二三年 九 月二六日 第一刷発行
二〇二三年 一 一月 一 日 第三刷発行

著者 武田砂鉄(たけださてつ)

発行者 髙橋明男

発行所 株式会社 講談社
東京都文京区音羽二-一二-二一 郵便番号一一二-八〇〇一
電話 編集 〇三-五三九五-三五〇四
販売 〇三-五三九五-五八一七
業務 〇三-五三九五-三六一五

印刷所 TOPPAN株式会社

製本所 株式会社国宝社

ISBN978-4-06-532874-3